Les 5 clés pour cultiver son intelligence émotionnelle

DUNOD

© Dunod, Paris, 2013

ISBN 978-2-10-059428-3

Avant-propos

Les émotions sont des pépites… À condition de savoir les reconnaître et les accueillir ! Qui a reçu une éducation émotionnelle ? Si peu connue, si peu stimulée, notre intelligence émotionnelle a une forte capacité de croissance. Elle cristallise nos compétences à gérer nos propres émotions et celles des autres.

Bien entraînée, elle contribue à enrichir la vie. Un stress mieux géré, des décisions de meilleure qualité, une motivation plus grande, des changements abordés plus efficacement : les promesses d'une intelligence émotionnelle développée sont nombreuses !

Simple et facile d'accès, *Les 5 clés pour cultiver son intelligence émotionnelle* est un vrai compagnon de montée en compétences. En un temps minimum, vous apprendrez à réveiller votre potentiel d'intelligence émotionnelle et à agir avec les émotions.

Goûtez la saveur de l'empathie. Découvrez une manière authentique de communiquer et de coopérer avec les autres. Vous avez entre les mains le mode d'emploi des émotions au quotidien !

Commencez par mesurer votre quotient émotionnel et lancez-vous à la découverte des émotions ! La lecture des *5 clés* vous guidera concrètement dans votre progression.!

Les 5 clés pour cultiver son intelligence émotionnelle propose :
- un quiz pour tester votre quotient émotionnel ;
- l'essentiel des apports théoriques ;
- des notions clairement et simplement expliquées ;
- des cas concrets commentés ;
- des conseils pour développer progressivement votre intelligence émotionnelle.

Pour aller plus loin, rendez-vous sur le site du livre

www.csp.fr/livreIE

Sommaire

Quiz

Quel est le niveau de votre intelligence émotionnelle (IE) ? Répondez aux questions suivantes et comptabilisez votre score :

Oui, souvent : **1 point**

Assez régulièrement : **2 points**

De temps en temps : **3 points**

Non, très rarement : **4 points**

		Score
1.	Je me laisse submerger par les émotions. Je me renferme ou j'envoie tout le monde promener.	
2.	Quand je me sens mal, en parler sobrement m'est difficile.	
3.	Je supporte difficilement qu'on décharge ses émotions sur moi.	
4.	Quand les gens autour de moi s'énervent, je m'énerve aussi.	
5.	J'accumule les émotions sans les examiner au fur et à mesure.	
6.	Souvent, je n'arrive pas à mettre des mots sur les émotions alors que cela permettrait d'éclaircir la situation et d'apaiser les gens autour de moi.	

7. Lorsqu'une personne est contrariée, je ne peux pas partager ce qu'elle ressent sans être moi-même envahi.

8. Lorsqu'une personne m'a contrarié, je ne peux pas en parler avec elle sans la blesser.

9. J'ai l'air calme et tout d'un coup j'éclate sans que cela ait de rapport direct avec la situation.

10. Je n'ose pas demander explicitement ce dont j'ai besoin.

11. Lorsque j'écoute quelqu'un, je ne trouve pas la bonne distance : je suis soit trop complaisant, soit trop distant.

12. Je n'ai pas l'habitude de montrer des signes de reconnaissance aux gens avec qui je vis et travaille.

Reportez votre score dans le tableau ci-dessous qui classe les questions selon quatre thèmes.

Thème		N° de la question			Total/thème
Avoir conscience, réveiller son potentiel d'IE		1	5	9	/12
	Score				
Gérer ses émotions, s'exprimer		2	6	10	/12
	Score				
S'engager et faire preuve d'empathie		3	7	11	/12
	Score				
Interagir, communiquer en régulant ses émotions		4	8	12	/12
	Score				
Votre total					**/48**

Votre score vous permet d'évaluer d'où vous partez. Nous vous invitons à refaire ce quiz dans quelque temps pour mesurer vos progrès. Car contrairement au QI (quotient intellectuel), le QE (quotient émotionnel) a un haut potentiel de développement !

Profil 1 (de 1 à 15 points) : intelligence émotionnelle faible

Vous êtes encore peu à l'écoute de vos émotions et n'avez pas les moyens de mettre des mots sur ce que vous ressentez. Ne pas savoir gérer vos impulsions et vos réactions crée un inconfort car vous ne trouvez pas la réponse adéquate à ce qui vous envahit. Vos émotions empêchent votre sérénité, parasitent vos capacités d'expression et d'écoute. Vous êtes sans doute imprévisible, susceptible ou distant. Accueillir les émotions des autres vous est difficile.

Plutôt que de réprimer les émotions, cultivez-les et découvrez cette partie de vous ignorée ! Prenez le temps de comprendre. Lâcher prise agrémentera votre qualité de vie et celle de votre entourage.

Tout cela s'apprend, progressivement. Vous verrez, c'est fascinant !

Profil 2 (16 à 31 points) : intelligence émotionnelle modérée

Vous parvenez à identifier vos états intérieurs et à reconnaître les effets induits de vos émotions sur les autres. En revanche, vous avez plus de difficultés à gérer vos émotions, à en comprendre les ressorts, à les piloter. Vous avez envie de comprendre les autres et d'entretenir des relations constructives. Ces bases sont intéressantes : profitez-en pour accroître encore votre intelligence émotionnelle. Augmentez ces belles aptitudes au bien-être, pour que vos relations aux autres soient imprégnées d'harmonie et de sérénité. Vous pouvez encore affiner votre intelligence émotionnelle, c'est-à-dire construire un pont entre votre tête et votre cœur.

Profil 3 (32 points à 48 points) : intelligence émotionnelle forte
Non seulement vous êtes conscient des différentes émotions que vous ressentez, mais vous savez également leur donner un sens, et vous en servir pour avancer et rebondir. Votre intelligence émotionnelle vous permet d'analyser finement les situations et de comprendre ce qui se passe chez les autres. Vous contribuez avec efficacité à la cohésion d'équipe. Continuez à cultiver cette intelligence émotionnelle, en explorant d'autres facettes.

Réveiller son potentiel d'intelligence émotionnelle

1 **Un potentiel à développer**

2 **Pourquoi ça patine ?**

3 **Faire émerger son intelligence émotionnelle**

« Sans émotions, il est impossible de transformer les ténèbres en lumière et l'apathie en mouvement. »

Carl Gustav Jung

1. Un potentiel à développer

Prendre conscience de ses émotions pour mieux les vivre, comprendre celles des autres et interagir : tels sont les enjeux de l'intelligence émotionnelle (IE).

Franchir le pas

Savoir gérer ses émotions permet de mieux appréhender les conflits, voire de les éviter.

Nathalie, chef de projet dans une PME spécialisée en systèmes embarqués, vient de recevoir une promotion. Jacques, son collègue, ne semble pas bien accueillir la nouvelle. Ce matin, devant la machine à café, Nathalie se lance, voix et visage détendus.

Nathalie : Jacques, je suis contente de te trouver là ! Je voulais discuter avec toi des malentendus qu'il y a pu y avoir entre nous. On ne se parle pas, on ne se dit même plus bonjour alors qu'on partage le même bureau... Lors de mon entretien individuel, on m'a annoncé que j'allais devenir responsable de notre service.

Jaques : Tu dois être contente ?

Nathalie : Oui, ça me fait très plaisir mais je comprends que tu m'en veuilles. Sans doute es-tu contrarié parce que tu pensais recevoir cette proposition.

Jacques : Humm...

Nathalie : Tu as fait savoir que tu refusais de travailler sous mes ordres, cette réflexion m'a bouleversée. Je n'ai rien contre toi, mais j'imagine que mon côté abrupt ne donne pas envie de travailler avec moi.

Jacques (rire crispé) : C'est que je n'aime pas ta façon de parler en tranchant carrément.

Nathalie : Je comprends ! Je parle de manière directive aux gens, pas seulement à toi ! J'ai réalisé que cette attitude pouvait créer une distance alors que ce n'est pas mon intention. Quand je suis autoritaire, c'est que je suis engagée, passionnée, battante...

Jacques : Et rien ne semble pouvoir t'arrêter !

Nathalie : Peut-être... Je vais essayer de faire attention. J'ai l'intention d'éviter de t'imposer les choses et d'être plus souple. J'ai envie de gagner ta confiance, que l'équipe tourne bien, qu'on puisse discuter...

Jacques : Moi aussi, j'ai envie de changement. Je te trouve vraiment sincère.

Nathalie : Je n'ai pas l'habitude de me livrer... Je suis un peu émue. Te parler comme ça m'engage mais je sais qu'on a tous à y gagner et moi la première !

Jacques : Merci, je n'aurais jamais osé faire le premier pas vers toi...

Quelques mois plus tard, Nathalie témoigne avec joie de cet épisode : « Je m'en souviens comme si c'était hier tant cette discussion était importante pour moi. Elle a vraiment simplifié notre quotidien. »

Étape après étape

Comment Nathalie a-t-elle osé prendre le risque de s'adresser à Jacques ? Nathalie a découvert le potentiel émotionnel enfoui en elle et a choisi de l'exploiter, ce que nous vous invitons à faire en lisant ce livre. Elle fait aujourd'hui preuve d'une empathie, ce qui lui permet d'interagir avec les autres. Le schéma ci-dessous, inspiré de Claude Steiner[1], récapitule les étapes de développement de l'IE par lesquelles Nathalie est passée.

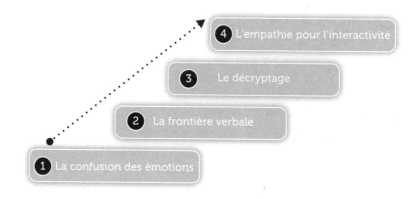

Reprenons ces quatre étapes.

Confusion ❶

Au départ, Nathalie confondait ses émotions, elle ne les percevait pas clairement. Ses émotions se manifestaient plutôt par des sensations physiques et un mal-être récurrent. Elle avait d'ailleurs régulièrement un lumbago. Cette confusion peut prendre la forme d'un engourdissement émotionnel ou, au contraire, d'une hyperémotivité.

Rétrospectivement, Nathalie se classerait initialement parmi les engourdis des émotions. Pour illustrer cet état, réunissons-en les traits extrêmes dans un personnage nommé Carapace, en raison de cette sorte de carapace anesthésiante sous laquelle il se cache. Carapace a du mal à

1. STEINER Claude, *L'ABC des émotions*, 2e éd., InterEditions, 2011 : le concept de « l'échelle de conscience émotionnelle ».

entrer en relation avec les autres. Il semble froid et réservé. Son manque de tact et d'empathie crée de la distance. Il donne l'impression d'éviter les regards et la rencontre, mais il est en fait démuni pour verbaliser ses affects et ses émotions ! Bien qu'il puisse être brillant, Carapace perd pied dès qu'il entre sur le terrain affectif. Il cherche donc à se protéger des émotions, préfère ne pas être interrogé sur sa vie personnelle. Que signifie son sourire ? Est-il triste ou heureux ? Cela ne se distingue pas et lui-même se demande s'il ressent vraiment quelque chose.

D'autres, à l'inverse, sont submergés par des émotions désordonnées. Appelons Fleur de Peau celui qui réunit les traits extrêmes de l'hyperémotivité. À la moindre contrariété, Fleur de Peau pleure, s'angoisse ou s'irrite, râle, voire hurle. Honteux de ces manifestations émotives, Fleur de Peau cherche à les dissimuler. Tout aussi perdu que Carapace dans ses émotions, Fleur de Peau subit ses réactions. Il ne les contrôle pas, ce qui est épuisant et improductif. Il a alors de moins en moins d'estime pour lui-même et perd confiance dans les autres.

Verbalisation ❷

Fleur de Peau se noie sous les émotions. Contrairement aux apparences, Carapace porte aussi en lui un monde riche d'émotions. Elles sont peut-être trop nombreuses ou trop difficiles à supporter... La carapace, même utile à un moment, finit par être contraignante. Pour sortir du gel ou de la confusion des émotions, il faut apprendre, comme Nathalie, à franchir la frontière des mots. La verbalisation aide à clarifier ses émotions. Elle établit un pont entre les tripes (le cœur) et la tête. Les émotions sont moins dispersées. Ce que l'on ressent prend du sens et cesse de nous bouleverser. L'estime de soi se rehausse et on peut se sentir plus interactif avec les autres.

Décryptage ❸

Nathalie a appris à décrypter ses émotions. Elle repère les nuances de cette palette émotionnelle dont les couleurs primaires sont la colère, la joie, la peur et la tristesse. Elle identifie plus clairement les raisons de ses émotions, qu'elle sait attribuer au bon événement et à la bonne personne. Elle ne se laisse plus piéger par des pensées inutilement critiques et néfastes. Elle peut donc mieux apaiser la tourmente et dissiper le brouillard. Cette étape d'apprentissage est longue car il s'agit de démêler des fils d'émotions enchevêtrés et d'investir des lieux laissés en friches. Nous le verrons dans les clés 2 et 3.

Empathie ❹

Utiliser son intelligence émotionnelle permet de faire preuve d'empathie.

Sachant que nous sommes tous faits de la même matière première, ce que Nathalie a compris pour elle-même lui permet de décrypter, sans les interpréter, les émotions de Jacques. Elle peut comprendre les autres, sans confondre ses émotions avec les leurs : quel que soit son trouble, elle reste disponible, attentive. Elle communique mieux avec les autres. Et bonne nouvelle, sa bienveillance est contagieuse ! Nous le verrons dans les clés 4 et 5.

→ RÉCAPITULONS

Développer son intelligence émotionnelle passe par quatre stades :
- l'engourdissement ou l'hyperémotivité, sans conscience claire des émotions ;
- la verbalisation ;
- le décryptage des émotions ;
- l'empathie.

2. Pourquoi ça patine ?

→ **EN BREF**

L'intelligence émotionnelle a une forte capacité de croissance. Mais ce développement est entravé par des pensées et des automatismes qui viennent embrouiller les émotions.

Le poids des idées reçues

Une émotion est d'abord une charge émotionnelle ressentie physiquement. Bien la nommer permet de la distancier, l'apprivoiser et s'exprimer à son sujet. Malheureusement, faute d'éducation émotionnelle, des idées reçues ou des pensées automatiques prennent le dessus. Elles influencent nos émotions, les déforment et les entretiennent. Ces pensées sont parfois intégrées depuis longtemps et ressurgissent si rapidement face à l'émotion que nous n'en prenons conscience qu'après coup.

Paul, est magasinier dans une grande enseigne de produits électroménagers. En voyant sa charge de travail augmenter, il est inquiet. En fait, il a peur d'être débordé par les tâches à effectuer et de ne pas atteindre ses objectifs mensuels. Si Paul savait reconnaître et nommer cette peur : il pourrait s'en servir pour mieux organiser son travail. Mais sans la voir venir, Paul se laisse prendre par une pensée automatique. Il se répète qu'il n'est pas à la hauteur. Il se retrouve dans un cycle vicieux : cette pensée entraîne de la crainte, qui restimule la pensée, et ainsi de suite en boucle fermée. Paul finit par l'interpréter comme la preuve qu'il n'est effectivement pas à la hauteur. Pour en sortir, Paul doit revenir sur l'idée reçue et s'y confronter. Pour le moment, il la considère comme vraie. Mais l'est-elle vraiment ? Pour faire le tri, Paul a tout intérêt à apprendre à mieux utiliser sa pensée.

Les messages contraignants

Certains messages transmis dans notre éducation nous ont construits. Ils ont contribué à définir notre personnalité mais ils nous ont aussi contraints. Aujourd'hui, ils nous limitent dans l'utilisation de notre intelligence émotionnelle. Ils nous piègent en se présentant comme la solution à tous les problèmes : pour être heureux et appréciés, nous devons être « forts », « parfaits » et « faire plaisir aux autres ».

Les messages contraignants sont des leurres ! Sources de frustration et de stress, ils empoisonnent nos émotions. Nous pouvons nous entraîner à les contrecarrer grâce à des antidotes : des permissions que nous nous donnons pour être plus efficaces et mieux communiquer avec les autres.

« Sois parfait ! »

Gérard s'irrite à la moindre imperfection repérée chez lui ou chez les autres. Il pinaille sur chaque document, fait refaire, pense que ce n'est jamais assez bien. Il passe beaucoup plus de temps que prévu sur chaque sujet. Il s'épuise et fatigue ses collaborateurs par son exigence excessive qui le mène parfois à une colère noire. En travaillant sur ses émotions, Gérard apprend à reconnaître ce message contraignant. Dès lors, il peut accepter d'être plus réaliste et se donner le droit à l'essai et à l'erreur. Il fait progressivement le deuil des réalisations parfaites et utopiques. Attentif à ce qui se passe réellement, il est plus objectif. Il pèse les enjeux et les événements à leur juste mesure. Il est plus détendu, plus serein. Son entourage familial et professionnel profite de cet apaisement !

« Sois fort ! »

Gérard est également un homme fort. Il se livre aussi peu qu'il aime entendre les émotions des autres. Le message « sois fort » l'empoisonne. En développant son intelligence émotionnelle, il détecte ce message contraignant et s'en désintoxique par les antidotes « sois ouvert » et « ose être toi-même ». Pour lui, c'est une invitation à prendre le risque de se montrer tel qu'il est, communicatif et compréhensif. Le meilleur moyen de communiquer est d'être clair et honnête, d'exprimer ses idées et ses sentiments ; d'être à l'écoute des autres sans saturer, d'avoir confiance en soi et de faire confiance aux autres.

« Fais plaisir ! »

Sous l'influence de ce message, Aline ressent le besoin d'être gentille avec tout le monde. Elle n'ose pas dire non pour ne pas déplaire et se trouve entraînée dans des situations qui ne lui conviennent pas : peu importe tant que les autres sont satisfaits. Par peur d'annoncer une information désagréable, Aline étouffe les problèmes. Son antidote est : « pense aussi à toi ». Y recourir lui permet de dire non, au risque de déplaire. Elle peut énoncer avec tact des choses désagréables lorsque cela est nécessaire. Elle estime que, s'il est important d'être aimé, il est aussi important d'être respecté. Elle pense à elle pour être en forme avant de s'occuper des autres.

Les antidotes aux messages contraignants

> « Sois réaliste. Donne-toi le droit à l'erreur », au lieu de penser « Sois parfait » !

> « Sois ouvert et ose être toi-même », au lieu de penser « Sois fort, ne montre rien » !

> « Pense aussi à toi », au lieu de penser seulement « Fais plaisir » !

Les mécanismes d'évitement

Pour éviter des émotions trop fortes – ou trop difficiles à accepter – l'être humain réagit par des comportements d'adaptation dits de survie. En cela, il imite les animaux qui, face au danger, se mettent dans des états défensifs. Henri Laborit, éthologue et neurobiologiste, en a recensé trois :

- la fuite, associée à l'agitation : liée à la peur ;
- la lutte : l'énervement lié à la colère ;
- l'inhibition de l'action : liée à la tétanisation et dégageant de la tristesse.

Pour pouvoir s'en dégager, il faut d'abord décrypter ces mécanismes de défense. Brigitte, Géraldine et Vincent manifestent tous les trois des mécanismes d'évitement différents.

Brigitte, attachée commerciale, s'est rendue à la fête organisée par son manager pour célébrer la nouvelle année avec l'ensemble de son équipe. L'heure est à la bonne humeur, mais Brigitte n'est pas dans l'ambiance. Elle s'assied en retrait, alors que tous blaguent joyeusement et commencent à danser. Lorsqu'on l'invite à rejoindre la piste de danse, elle décline, prétextant la fatigue. Elle se montre presque désagréable et finit par s'éclipser bien avant la fin de la soirée.

En fait, Brigitte a peur d'être débordée par ses émotions et les réactions qu'elles engendrent. Ses attitudes sont des manières d'empêcher les émotions de circuler. Dans d'autres circonstances, certains se montreraient boudeurs, mauvais joueurs, vexés ou froids. Ils se rendent ainsi inaccessibles pour ne pas souffrir.

Jouer une décontraction joviale, devenir trivial ou faire l'idiot sont aussi des mécanismes de compensation.

Géraldine, la directrice d'une agence de publicité, est une femme appréciée : pleine d'humour, elle a toujours une anecdote à raconter et n'hésite pas à faire des pitreries Elle a beaucoup d'amis et pourtant, à quarante-cinq ans, elle n'a jamais réussi à s'installer durablement en couple. Ses proches s'en étonnent. En réalité, aucun d'eux n'a compris que Géraldine évite ses émotions. La diversion lui donne l'impression de les évacuer. Par peur d'être sans intérêt, Géraldine communique dans un flot de paroles, évitant le silence et masquant tant bien que mal sa gêne. Ni vu ni connu, elle change de sujet dès qu'on affleure ses émotions ou celles des personnes avec lesquelles elle se trouve.

Banaliser, relativiser ou prendre de la distance sont d'autres comportements qui visent à faire disparaître l'émotion.

Vincent fait du vélo avec son fils de six ans, quand soudain, ce dernier freine brusquement, tombe et s'ouvre la lèvre. Rien de grave mais la quantité de sang est impressionnante. En voyant arriver son fils ensanglanté, la femme de Vincent s'affole. Celui-ci coupe immédiatement court à ses cris en lançant : « On ne va pas en faire un fromage » ! La réaction de Vincent efface les émotions de sa femme (peur, inquiétude, colère), avant même que celle-ci ait pris contact avec elles.

Rationaliser est encore une manière d'éviter l'émotion. Par crainte de dérapage et de perte de contrôle, Vincent passe tout par le moulinet du cérébral : il garde les événements dans sa tête et y réfléchit beaucoup, au risque de ruminer ! Les émotions sont ignorées, seules comptent la raison et l'action.

Développer son intelligence émotionnelle suppose de repérer :
- les idées reçues et messages contraignants qui empoisonnent nos émotions ;
- les mécanismes de défense que nous mettons en place pour éviter les émotions.

3. Faire émerger son intelligence émotionnelle

→ **EN BREF**

Accroître sa vitalité et sa conscience bienveillante fait grandir l'intelligence émotionnelle (IE). Avec une IE développée, il est possible d'être vraiment soi-même et d'enrichir son expérience de la vie.

Être soi-même

Les mécanismes de défense peuvent être précieux en cas de coup dur. Tels des coussins contre notre colonne vertébrale, ils atténuent les secousses. Mais l'accoutumance à ces mécanismes de défense est trompeuse. Nous finissons par croire qu'ils sont notre nature ou la réalité de la vie.

En fait, nous couper des émotions nous déshumanise. À force de vouloir atténuer le flot des émotions, elles disparaissent ou bien se figent dans notre corps.

Pourquoi reporter à plus tard le contact avec nos émotions ? Être soi-même suppose de pouvoir vivre l'expérience du moment en conscience, sans tergiversation, sans ambages. Comme en a témoigné Nathalie : tous y gagnent en qualité de présence, en interactivité et en simplicité.

Accroître sa vitalité

Retrouvons Carapace. De quoi a-t-il besoin si ce n'est de retrouver le chemin des émotions ? Carapace fait croître son IE en développant sa vitalité et en s'ouvrant à la sensibilité. Il a besoin de lâcher prise. Cette pratique salutaire lui permettra d'évoluer et d'ajouter de nouvelles options à ses fonctionnements.

Carapace raconte sa progression : « Pour développer ma vitalité tout en lâchant prise, j'ai cherché et pratiqué beaucoup... Je me suis entraîné à limiter mes habitudes d'évitement et à explorer de nouvelles pratiques. Pour y parvenir, je ne suis pas resté seul. Je me suis fait accompagner et j'ai pu ainsi partager mes expérimentations. Voici quelques exemples de ce qui m'a aidé à m'assouplir :

- chanter, juste pour moi (au début, je chantais quand j'étais seul dans ma voiture) ;
- prendre soin de moi par des actes simples, comme m'accorder une pause déjeuner suffisamment longue pour me ressourcer, prendre un moment entre deux tâches pour être attentif à ce que je ressens (satis-faction, stress) ;
- pratiquer une activité artistique, sans souci de performance ;
- créer ne serait-ce que vingt minutes de sas sur mon trajet travail-domicile. »

Être bienveillant avec soi

Observons maintenant Fleur de Peau. Il a essentiellement besoin de ne plus se disperser face aux émotions envahissantes. Fleur de Peau gagne à développer une conscience bienveillante envers ses ressentis et leurs manifestations ; à pratiquer l'art d'accueillir ses émotions sans les enfermer mais en leur offrant un contenant assez vaste pour pouvoir les vivre sans être submergé ou emporté. Il pourra ainsi prendre la responsabilité de ses émotions.

Fleur de Peau raconte : « Pour développer cette conscience bienveillante, je me suis efforcé de :

- retrouver la face positive de mes émotions. Ma timidité : une qualité de discrétion ; ma peur : une invitation à la vigilance, à l'anticipation ; mes inquiétudes : une indication d'aller à mon rythme ; mes colères : une invitation à mieux me respecter ;
- revoir ma tendance à trop m'alerter face à des manifestations physiologiques comme le rougissement, la boule dans la gorge, les crispations, le tremblement, le bafouillage, la transpiration, etc. J'accueille maintenant ces manifestations sans en rajouter : j'affaiblis mes jugements, je garde l'appui sur mes pieds et mon bassin, et je respire ;
- garder en mémoire cette petite phrase d'une amie : "Si vous vous occupez trop de votre pomme, vous n'aurez que des pépins !" J'ai appris à m'intéresser aux autres, à d'autres choses, tout en restant conscient et bienveillant envers mes états. »

Écouter son corps

Écouter son corps est bénéfique à Carapace comme à Fleur de Peau. Ils s'entraînent ainsi à percevoir des sensations physiques liées à leurs émotions et à dépasser une pensée ou une situation inappropriée et répétitive.

Prenez quelques minutes pour faire l'exercice ci-contre. Commencez par le lire deux fois puis installez-vous confortablement. Fermez les yeux et laissez votre attention se porter sur votre corps. Au cours de l'exercice, vous percevrez sans doute certaines zones plus facilement que d'autres. Vous pourrez aussi rencontrer des émotions oubliées faute d'attention ou de temps. Avec une pratique régulière, vous développerez votre capacité à percevoir les émotions et à les tenir dans le champ de votre attention. Vous leur permettez d'évoluer.

Être attentif à son corps

> Concentrez-vous sur votre respiration : sans la perturber, sentez son rythme et son ampleur varier.
> Percevez les sensations dans vos pieds, puis dans vos chevilles, dans vos jambes. Continuez en remontant doucement (genoux, cuisses, bassin, fesses, lombaires, dos, nuque, épaules, bras, mains, tête, visage), puis en redescendant.
> Restez attentif et détendu, trouvez le rythme adapté à ce moment.

→ RÉCAPITULONS

Pour faire émerger son IE :
- Carapace développe sa vitalité, Fleur de Peau sa conscience bienveillante ;
- Carapace apprend à lâcher prise et à s'impliquer émotionnellement. Fleur de Peau apprend à filtrer ses émotions et à élargir sa capacité à les accueillir ;
- tous deux écoutent davantage leur corps.

1. Quelles étapes de développement de votre IE pensez-vous avoir franchies ?

2. Quel(s) message(s) contraignant(s) êtes-vous prêt à contrecarrer ? Quelle marge de manœuvre vous donnez-vous ?

3. Que choisissez-vous d'expérimenter dans les jours et semaines qui viennent, afin d'augmenter votre vitalité et/ou la conscience bienveillante de vos émotions ?

Gérer ses émotions

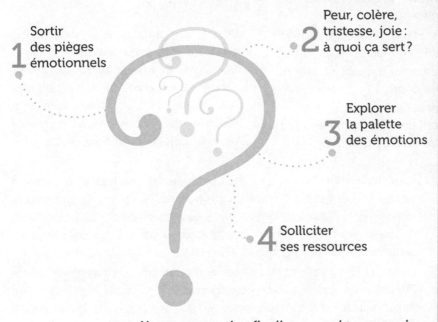

1 Sortir des pièges émotionnels

2 Peur, colère, tristesse, joie : à quoi ça sert ?

3 Explorer la palette des émotions

4 Solliciter ses ressources

« *Ne coupe pas les ficelles quand tu pourrais défaire les nœuds.* »

Proverbe indien

1. Sortir des pièges émotionnels

Quatre mécanismes empêchent de vivre les émotions du moment présent : la collection de timbre, l'élastique, le sentiment parasite, la projection. L'intelligence émotionnelle permet le décryptage de ces mécanismes.

Comment détacher les élastiques ?

En s'entraînant à :

> constater la disproportion de l'émotion ;

> considérer cette disproportion comme un indice ;

> rechercher à quelle situation passée conduit l'indice ;

> faire la part du passé et du présent pour se mettre en contact avec la réalité du présent.

L'élastique

Quand une émotion est démesurée, c'est souvent parce qu'elle est liée à une situation passée qui ressurgit. Elle revient tel un élastique accroché entre hier et aujourd'hui. La situation présente réactive une émotion ancienne restée bloquée. L'élastique se tend et claque !

Pendant longtemps, Carole a été éprouvée par une très forte émotion de rage : « Les gens qui ne disent pas bonjour, j'ai envie de les mordre », répétait-elle ; jusqu'à ce qu'elle remonte à ce souvenir : au pensionnat, son frère avait honte de dire qu'elle était sa sœur. Il l'ignorait et ne lui disait même pas bonjour quand il la croisait.

À chaque fois qu'elle repère le lien entre son émotion passée et la réalité présente, Carole détache consciemment l'élastique. Ce faisant, elle diminue la charge disproportionnée de l'émotion actuelle. Elle donne ainsi une expression juste à son émotion et gère l'absence d'un « bonjour ».

L'émotion-parasite

Carole a compensé sa difficulté face au dédain de son frère en réussissant mieux que lui : meilleures études, meilleure réussite sociale et même plus grand succès sentimental... Au lieu de se réjouir de ses succès, elle s'en sent coupable et devient anxieuse. Carole a empilé des émotions-parasites.

Une émotion-parasite se substitue à une autre et la masque. Ce mécanisme se met en place quand l'émotion authentique n'a pas été entendue ou a été déclarée dangereuse, voire interdite. C'est un réflexe d'adaptation appris dans l'enfance.

Pour cacher l'émotion réprimée par l'éducation, l'enfant puis l'adulte lui en substitue une autre : bouder au lieu de réclamer directement de l'attention, faire mine d'être joyeux pour cacher sa tristesse, se montrer froid ou rigide pour éviter la peur de s'abandonner aux autres, imploser pour inhiber son envie d'exploser, etc.

Les émotions-parasites sont à la fois artificielles, inappropriées et inopérantes.

Nicole et Bernard sont mariés depuis trente ans. Ils s'aiment et pourtant chacun se sent seul et se tient sur la défensive. Pensées négatives, non-dits, mauvaises interprétations et mots blessants se bousculent. En plus de la souffrance morale, les émotions de colère et d'indignation se déchaînent en chacun.

Que se passe-t-il ?

Comment sortir du mécanisme de l'émotion parasite ?

> En décryptant les émotions jugées déconcertantes.

> En s'entraînant à reconnaître l'émotion juste.

> En franchissant la frontière verbale et en énonçant l'émotion première.

> En retrouvant le contact avec les émotions appropriées à la situation du moment.

En taisant sa colère, l'un comme l'autre s'enferme dans la tristesse et la rancœur. Pour sortir de ce sentiment parasite, ils doivent reconnaître leur colère puis l'exprimer, comme nous le verrons dans la clé 4. Ainsi, la communication dans le couple pourra être rétablie.

La collection de timbres

« Collectionner des timbres », c'est accumuler des émotions (rancœurs, frustrations, vexations), jusqu'au moment où la collection devient trop importante. Sous l'effet de l'accumulation antérieure, l'émotion devient disproportionnée par rapport à la situation.

Comment sortir de la collection de timbres ?

> En repérant l'émotion que vous vous interdisez d'exprimer.

> En exprimant l'émotion au fur et à mesure, afin d'éviter le stress.

> En restituant les timbres : par exemple, quand un collaborateur vous agace depuis longtemps, allez le trouver et clarifiez tranquillement la situation. À défaut, vous risquez d'exploser un jour, pour une broutille.

La projection

La projection est un autre mécanisme prêtant à confusion. Il consiste à attribuer aux autres ce qui nous appartient (pensées, émotions, besoins, désirs, valeurs, modèles). Nous sommes pourtant persuadés d'être objectifs, car la projection se fait à notre insu.

Être gêné par la colère de l'autre est souvent le signe que nous nous interdisons de nous mettre en colère.

Dans un autre registre, un manager hiérarchique peut faire de l'un de ses col-

Comment sortir du mécanisme de projection ?

> En vérifiant ses intuitions, hypothèses ou interprétations : l'émotion prêtée à l'autre est-elle bien celle qu'il ressent ?

> En écoutant les autres exprimer leur version des faits.

> En étant curieux d'apprendre, en se rapprochant des faits et en posant des questions.

laborateurs son poulain, en projetant sur lui son désir de paternité : il le favorise, le surprotège et l'étouffe finalement dans la conduite de sa carrière personnelle. Ce collaborateur a tout intérêt à déceler cette projection. Il peut alors se centrer sur ses propres envies et capacités. À défaut, il court le risque de souffrir de n'être ni celui que son hiérarchique attend ni celui que lui-même voudrait être.

→ **RÉCAPITULONS**

S'entraîner à démêler les émotions permet de :
- les reconnaître ;
- les trier ;
- les nettoyer de leurs élastiques, leurs parasites et collections de timbres ;
- les attribuer à celui qui les ressent effectivement.

2. Peur, colère, tristesse, joie : à quoi ça sert ?

→ **EN BREF**

Peur, colère, tristesse et joie sont les quatre émotions principales. Chacune d'elles est utile car elle envoie un message. Il s'agit moins de les maîtriser que de les accueillir pour décoder ce message.

La peur : une alerte au danger

Peur que son enfant se fasse écraser, peur de l'examen, peur des chiens, peur d'acheter une maison... Toute peur signale la présence d'un danger. Elle prépare à affronter une nouveauté ou un enjeu important et incite à la prudence. Elle sert à s'adapter ou à chercher comment, où et auprès de qui se sécuriser, pour être ensuite confiant et efficace. Elle permet d'anticiper les difficultés pour mieux les affronter au lieu d'improviser.

Face à l'inconnu, la peur est naturelle. Sans elle, nous manquerions de lucidité et de vigilance : risques démesurés, buts inatteignables seraient notre lot quotidien.

Inutile de vouloir nier la peur en la rationalisant. « Tu n'as aucune raison d'avoir peur » est une injonction issue de conventions sociales. Masquer la peur mobilise toute l'énergie dont nous avons besoin pour faire face à la situation.

La colère : un moyen de se protéger

La colère est une protection face à un manque de respect ou une transgression. Vous venez d'être cambriolé, vous avez attendu vainement votre rendez-vous, votre fils emprunte votre voiture sans vous le demander : votre colère vise à défendre des valeurs ou à rétablir des droits bafoués. Expression d'une frustration ou d'une déception, la colère surgit également lorsqu'un obstacle s'oppose à une satisfaction. Les enfants nous le montrent souvent !

Tout en permettant d'affirmer une indignation, la colère donne la force de faire face aux injustices. Elle transmet l'énergie pour remédier à des situations insatisfaisantes, pour préciser des attentes.

La colère sert aussi à :
- évacuer les tensions, à condition d'avoir pour objectif de changer ;
- éviter de basculer dans l'agressivité, la violence, le masochisme (la colère retournée contre soi-même) ou le mutisme ;
- améliorer la qualité de la relation et même consolider le sentiment d'appartenance, à condition d'être énoncée de manière constructive et d'être entendue.

Sans la colère, nous serions soumis, nous aurions l'impression de subir et de n'avoir aucun pouvoir sur notre vie. La colère offre la possibilité de remettre en question son histoire personnelle et les croyances erronées.

La tristesse : un levier pour repartir

La tristesse apparaît lors d'une perte ou d'une déception : un deuil, un but manqué, une désillusion. Cette émotion permet d'accepter un changement et de se réorganiser en conséquence. Par exemple, la tristesse incite à se donner de nouveaux moyens d'atteindre l'objectif, ou à réajuster celui-ci s'il s'avère inatteignable.

Tristes, nous nous retirons dans un silence intérieur qui amorce le processus de cicatrisation psychologique : nous nous restructurons pour pouvoir surmonter l'épreuve.

La tristesse permet d'accepter sa vulnérabilité et son besoin des autres.

La joie : une ressource

La joie permet de partager avec les autres et de consolider la cohésion du groupe. Elle sert à célébrer une réussite, à recharger ses batteries, à se ressourcer. Elle accompagne la réponse au besoin de se sentir apprécié ou admiré.

La joie stimule la motivation. Elle est vivifiante et fournit de l'énergie pour affronter d'autres défis ou pour compenser des situations moins satisfaisantes. Elle estompe la fatigue et le stress. Joyeux, on se sent exister. Entretenez la joie : elle permet d'être plus détendu et indulgent. Et n'oubliez pas : la joie est contagieuse !

→ RÉCAPITULONS

La peur, la colère, la tristesse, la joie ont leur raison d'être. Chacune d'elles indique un besoin à combler. Le tableau ci-dessous en fait la synthèse.

	Peur	Colère	Tristesse	Joie
Origine	• Danger • Inconnu	• Injustice • Attaque • Frustration	• Perte • Séparation	• Réalisation de soi • Réussites
Besoin correspondant	• Être protégé • Se sentir en sécurité • Anticiper • Se préparer • Oser explorer	• Être entendu • Obtenir un changement • Défendre son intégrité • S'affirmer	• Être réconforté • Faire le deuil	• Partager • Se ressourcer • Se sentir appartenir à un groupe

3. Explorer la palette des émotions

→ **EN BREF**

« Nous sommes tous des analphabètes de l'émotion : nous ne savons ni les lire ni les écrire », écrit Claude Steiner[1]. Développer son intelligence émotionnelle, c'est aussi exprimer ses émotions avec précision. Vous ferez la différence en franchissant la frontière verbale.

Nous disposons de nombreux vecteurs pour exprimer ce que nous ressentons. Modeler un objet, sculpter, dessiner, chanter, danser, écrire un poème, jouer d'un instrument : l'art est un médium puissant.

Les mots permettent de mieux identifier son émotion. Le tableau ci-après est un outil pour nommer ses propres émotions — et pas seulement les émotions principales. Vous pouvez aussi aider l'autre à préciser ce qu'il ressent : lui suggérer des mots, par tâtonnements — car lui seul connaît l'émotion appropriée.

---

1. *Idem.*

Peur	Colère	Tristesse	Joie
soucieux	fâché	inconsolable	enchanté
tourmenté	contrarié	abattu	réjoui
fuyant	énervé	ennui	enthousiaste
désemparé	outré	isolé	charmé
trac	furieux	déprimé	reconnaissant
hésitant	crispé	désespéré	rayonnant
désorienté	irrité	meurtri	bonne humeur
confus	hors de soi	découragé	serein
craintif	trompé	dégoûté	content
méfiant	sous pression	embarrassé	communicatif
défensif	provoqué	vidé	détendu
inquiet	rancunier	humilié	spontané
effrayé	révolté	sombre	gai
démuni	choqué	fatigué	plein d'espoir
oppressé	dégoûté	déçu	ravi
perdu	mécontent	malheureux	comblé
paniqué	indigné	oublié	aimé
affolé	frustré	démoralisé	radieux
tendu	emporté	affligé	optimiste
angoissé	exaspéré	désolé	passionné
intimidé	agacé	détaché	décontracté
paralysé	renfrogné	peiné	chaleureux
honteux	froissé	floué	léger
coincé	hostile	cafardeux	tendre
incertain	trahi	accablé	à l'aise
nerveux	rageur	désabusé	disponible
déboussolé	grognon	regret	excité
effarouché	ulcéré	chagrin	heureux

→ RÉCAPITULONS

La palette des émotions est riche. Elle mérite d'être explorée dans toutes ses nuances.

Comme un peintre a ses couleurs favorites, chacun a tendance à se focaliser sur une poignée d'émotions. Voyez plus large ! Affinez vos observations pour avoir une conscience encore plus juste de vos émotions et de celles des autres.

4. Solliciter ses ressources

→ **EN BREF**

Les émotions traversent l'être tout entier. Les gérer passe donc par des approches physiques et mentales.

Prendre conscience de sa respiration

Suivre sa respiration évite de se contracter ou de se laisser piéger par une pensée ou une émotion.

Grâce à l'exercice ci-contre, entraînez-vous à faire de votre respiration une alliée. Au début, privilégiez un moment peu chargé en émotions.

Expérimentez sur des temps courts de cinq à dix minutes et allez jusqu'à vingt minutes si vous en avez l'envie et le temps. Observez sans jugement votre respiration. Quand votre esprit cherchera à se réorienter vers diverses

La respiration consciente

Portez votre attention sur votre respiration : le passage de l'air dans les narines, le mouvement du diaphragme, de votre ventre qui se soulève et se repose, le mouvement des côtes ou du sternum avec le flux et le reflux de l'air...
Ayez conscience de votre respiration sans intervenir dessus.

pensées, ne vous inquiétez pas : détendez-vous et recentrez votre attention sur votre respiration.

Avec un peu de pratique, vous saurez garder conscience de votre respiration tout en vaquant à vos occupations. Elle deviendra progressivement le socle sur lequel vous pourrez vous reposer pour faire face aux aléas émotionnels.

Réduire la vitesse de son pouls

Pour différer l'expression d'une émotion, apprenez à maîtriser votre respiration selon un cycle de quatre temps.

Comme dans l'exercice précédent, entraînez-vous à froid jusqu'à trouver un rythme respiratoire qui vous convienne pour enchaîner aisément ces quatre temps.

Dès votre entraînement, puis en situation, vous observerez que le pouls se calme.

La respiration maîtrisée

(À chaque étape, comptez jusqu'à deux avant de passer à la suivante.)

> Temps 1 : inspirez par le nez, sans effort.

> Temps 2 : bloquez votre respiration.

> Temps 3 : expirez par la bouche, en laissant votre poitrine s'affaisser et votre ventre rentrer, sans forcer.

> Temps 4 : bloquez votre respiration.

Prendre de la distance avec l'émotion

Se représenter une situation génère des émotions. Par exemple, se voir parler devant un vaste public renvoie à des images (les lieux, le public, la lumière), à des sons (notre voix, les bruits de fond) et à des ressentis (trac, inquiétude, excitation) pouvant être liés à un souvenir.

Pour réduire l'intensité émotionnelle associée à une situation, apprenez à vous en dissocier. Cela vous permettra, par exemple, d'en parler sans être submergé par les émotions.

Commencez par lire l'exercice « Prendre du recul » puis réalisez-le (les yeux fermés si c'est plus facile).

Repérer les émotions secondes

Parfois, nos émotions se superposent. Nous avons besoin de prendre conscience de ce processus pour retrouver notre émotion initiale.

Julien voit sa charge de travail augmenter sans qu'aucune explication ne lui soit donnée. Il fulmine, considérant que cette absence d'informations est un manque de respect. Il se pense traité comme une machine à produire des résultats, un numéro parmi d'autres. Julien est donc en colère (émotion première). Se reprochant cette colère, il se sent alors démoralisé, isolé et déprimé (émotions secondes).

Que doit-il faire ?

Prendre du recul

Identifiez une situation associée à une forte émotion. Représentez-vous cette situation, avec des images, et des sons.

Imaginez ensuite que vous allez vous asseoir dans un fauteuil et que la situation est projetée sur un écran, comme au cinéma. Respirez, appréciez le confort du fauteuil. Sentez-vous en sécurité.

Dans le déroulement de la scène projetée, vous voyez l'image de votre personnage. Vous en êtes dissocié. Alors, vous pouvez modifier l'écran : par exemple, imaginez qu'il s'éloigne et devient plus petit ; changez les couleurs de l'image ou passez-la en noir et blanc. Modifiez le son, sa tonalité, son volume.

Respirez. Constatez votre apaisement face à la situation. Laissez vos yeux se rouvrir si vous les aviez fermés.

Les émotions secondes sont plus douloureuses que l'émotion première. Julien doit prendre conscience de ses émotions secondes et solliciter ses ressources (se concentrer sur sa respiration ou se rappeler une situation plus sereine). Ainsi, les émotions secondes s'atténueront, le problème lui semblera plus facile à aborder. Il pourra agir en utilisant l'énergie de sa colère, par exemple pour demander une explication.

Générer des émotions utiles à l'action

Nos émotions résonnent avec des situations. Quand une expérience a été intense et qu'une situation identique apparaît, la même émotion ressurgit. Par exemple, vous entendez la musique que vous écoutiez avec votre amoureux et vous ressentez à nouveau de la tendresse. Mémoriser un repère associé à une émotion bienfaisante permet de le solliciter pour restimuler en soi cet état émotionnel. C'est un formidable levier de gestion des émotions.

Quand les parents donnent un doudou à leur enfant, ils utilisent cette association d'un *stimulus* (doudou) et d'un état émotionnel (bien-être), créée à la maison. La présence du doudou génère en l'enfant un sentiment de sécurité, même hors du foyer.

De même, quand elle porte sa petite veste noire, Catherine se sent bien ; ce vêtement lui rappelle la joie du jour où elle a si bien réussi sa présentation devant le comité de direction.

→ RÉCAPITULONS

S'appuyer sur sa respiration et solliciter son imagination ou un souvenir choisi contribuent à la bonne gestion de ses émotions.

Cela permet :

- de prévenir ou de limiter une vague émotionnelle ;
- d'apaiser des émotions perturbatrices ;
- de générer un état de détente utile à l'action.

ET VOUS ?

1. Avez-vous déjà été surpris par une émotion disproportionnée ? Quel indice cette émotion vous donne-t-elle ?

2. Avez-vous conscience de collectionner quelques timbres ou de vous laisser embrouiller par des émotions parasites ?

3. À quoi servent la peur, la colère, la tristesse et la joie ?

4. Quelles émotions exprimez-vous le plus souvent parmi celles de la palette proposée ? Quelles sont celles que vous ne ressentez jamais ?

5. Pour gérer vos émotions, quels moyens retenez-vous ?

Mobiliser son intelligence émotionnelle

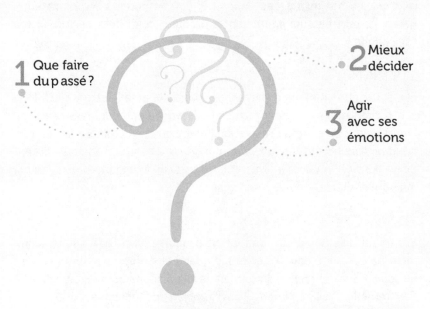

1 Que faire du passé ?

2 Mieux décider

3 Agir avec ses émotions

« *Si vous avez confiance en vous-même,*
vous inspirerez confiance aux autres. »

Goethe

1. Que faire du passé ?

Le développement de l'intelligence émotionnelle se heurte parfois aux émotions vécues dans l'enfance.

Détecter ses blessures d'enfant

À son insu, tout enfant a été nourri d'injonctions et a acquis des attitudes réflexes, en assimilant des conduites de ses parents ou éducateurs. Retenons-en trois, qui continuent à produire des effets perturbants à l'âge adulte.

L'hypercritique

Elle nourrit une méfiance excessive envers soi et les autres. Elle inhibe le sens de l'initiative. Le reproche systématique entendu dans l'enfance entrave donc la prise de responsabilités. Sous l'emprise de son hyper-critique, l'adulte est inquiet, auto-dénigrant. Frustré et jamais content de lui, il entretient un sentiment de tristesse. Il a tendance à exagérer la moindre critique formulée à son égard.

La surprotection

Elle induit, elle aussi, un fond latent d'inquiétude à l'âge adulte : comment ne pas vivre dans l'inquiétude quand ses propres parents se font du souci ? Surprotéger un enfant fait de lui un adulte qui se sent délaissé. Pour remédier à ce sentiment, il devra gagner en autonomie.

Le défaut de sécurité affective

Ressenti dans l'enfance, il crée un manque de communication, de chaleur et de règles. Ignoré lorsqu'il était enfant, l'adulte se sent peu important. Ce sentiment engendre une tristesse et une peur inappropriées. Elles créent une tension, allant parfois jusqu'à une colère excessive.

Comment panser ces blessures émotionnelles d'enfant ? En décidant de devenir pour soi-même un bon parent qui donne de l'affection. Cet « auto-parentage » permet d'enfin exprimer les émotions réprimées dans l'enfance.

Transformer les émotions du passé

Une fois adulte, dire à ses parents son ressenti d'enfant pourrait leur faire du mal et déclencher de la culpabilité. Qui plus est, cela ne changerait pas le passé.

Voici une autre démarche, celle de l'auto-parentage : l'adulte que vous êtes devenu s'adresse à l'enfant que vous étiez. Vous le trouvez démuni et vous le protégez en lui parlant pour qu'il se sente accompagné et soutenu. Cet auto-parentage permet de sortir de la confusion des émotions. Il revient à se donner de nouvelles permissions : penser par soi-même, lâcher prise, se faire plaisir, se féliciter.

> **Tremplin vers l'auto-parentage**
>
> > Quelles sont mes émotions inadéquates ?
>
> > Qu'est-ce qui m'a manqué dans l'enfance ? Quels sont mes manques aujourd'hui encore ?
>
> > Que puis-je faire pour les combler ?

Si nécessaire, un expert peut vous accompagner en jouant ce rôle de parent.

Revisiter ainsi ses émotions d'enfant n'a rien d'égoïste et présente au moins les avantages suivants :

- la diminution du besoin de solliciter quelqu'un pour écouter ses émotions ;
- l'augmentation de la capacité à aider les autres ou à les guider dans leurs émotions ;
- l'apaisement des relations avec ses parents ;
- l'acceptation de la réalité : l'auto-parentage conduit à mieux accepter les frustrations.

L'auto-parentage restructure la personnalité de l'adulte et ouvre la voie à de nouveaux types de relations : être plus proche des autres en restant soi-même.

Clarifier les responsabilités

Marion ne sait pas poser de limites, au travail comme à la maison. Assistante de direction dans une grande entreprise, elle termine sa journée au-delà de ses horaires. Ce soir, une fois de plus, elle va rater son cours de badminton auquel elle tient. Elle enrage et s'en veut. Son irritation croît. « Mais pourquoi est-ce que je continue à vouloir être parfaite ? Ai-je besoin d'être toujours la meilleure comme ma mère le souhaitait ? » Marion crierait bien cette question à sa mère mais cela ne changerait rien.

Que peut-elle faire ?

Marion est devenue hyperexigeante envers elle-même, tout comme l'était sa mère à son égard. Aujourd'hui, elle doit prendre sa part de responsabilité et choisir d'entretenir ou non les comportements imposés autrefois par sa mère. À elle d'avancer vers l'avenir en se détachant des émotions liées au passé. Il ne s'agit ni de dédouaner sa mère – ce serait ravaler son émotion et perdre les indices précieux pour résoudre la difficulté émotionnelle – ni de lui faire porter l'entière responsabilité.

→ **RÉCAPITULONS**

Grâce à l'auto-parentage :

- nous accueillons les émotions de l'enfant que nous étions ;
- nous vivons plus sereinement nos émotions d'adulte ;
- nous agissons avec plus d'équilibre et un meilleur sens de nos responsabilités.

2. Mieux décider

→ **EN BREF**

La capacité à s'engager et à choisir est un signe d'intelligence émotionnelle.

Faire des choix

Certaines attitudes révèlent un manque de responsabilité émotionnelle. Par exemple :

- se réfugier dans son histoire personnelle (« mon passé explique mes difficultés d'aujourd'hui ») ;
- accuser les autres de ce que l'on ressent ;
- dire ou penser « ça m'est égal » ;
- éviter de traiter le fond du problème ou refuser de se remettre en cause ;
- gaspiller de l'énergie à vouloir maîtriser, réprimer ou dissimuler ses émotions ;
- trop s'inquiéter du jugement des autres.

En revanche, certaines pensées dynamisantes aident à s'engager. Choisissez dans la liste suivante celles que vous pourriez vous approprier :

- « Je peux tirer des leçons utiles de tel ou tel échec. »
- « Je peux m'améliorer par plaisir plutôt que par contrainte. »
- « Je regarde mes comportements passés pour apprécier ma progression. »
- « J'en sais parfois plus et parfois moins que d'autres, mais ça me va. »
- « Je peux réévaluer mes principes à la lumière de mon expérience. »
- « Je vis une expérience que d'autres vivent ou ont vécue. Je ne suis pas seul à traverser cela. »

Sortir des pensées perturbatrices

Parfois, le paysage émotionnel est embrumé par des descriptions incomplètes, des déductions rapides ou des règles non explicites. Les remettre en cause marque un progrès.

Alain est opérateur dans une usine pharmaceutique. Ce matin, les réglages qu'il effectue sur des machines génèrent une baisse de qualité. Il s'inquiète immédiatement et, dans la précipitation, bloque involontairement l'une des machines. Quelques minutes plus tard, une autre machine émet un signal d'alerte pour un besoin de maintenance. Alain panique. Il interpelle son chef qui passe par là : « J'ai un gros problème, toutes les machines sont en panne ! Plus rien ne marche, je n'y arrive plus, je suis nul… ! »

Dans ces propos, le manager repère les généralités abusives des expressions « gros problème » ou « toutes les machines », « plus rien ne marche » et « je suis nul ». Il pose quelques questions invitant Alain à revenir au plus près de la réalité. Il l'aide ainsi à retrouver une pensée plus neutre pour retourner sereinement à son travail.

Voici quelques exemples de questions aidant à sortir de l'impasse constituée par les pensées émotionnellement perturbatrices. Elles invitent à retrouver de meilleures attitudes sans se sentir jugé mais en étant orienté.

Pensées perturbatrices	Questions et relances pour sortir de l'impasse
Toutes les machines sont en panne.	Toutes ?
C'est toujours pareil.	Toujours ?
La communication est mauvaise entre nous.	Qu'est-ce qui te fait dire cela ?
Personne ne m'écoute jamais.	Qui ne t'a pas écouté, et quand ?
Je suis... (nul, bête, maladroit, inorganisé), les autres sont... (géniaux, inventifs, performants, organisés, pénibles, gênants). C'est bien ou c'est mal. La vie est...	Sur quoi te bases-tu pour dire cela ?
Untel ne m'apprécie pas.	Comment le sais-tu ?
C'est mieux de rester.	Rester est mieux que quoi ?

Imaginer le point de vue d'un proche est un autre moyen de sortir des pensées perturbatrices : que penserait-il de cette situation ? Que ressentirait-il ? Que ferait-il ? Se représenter quelqu'un d'autre dans la même situation que soi augmente la flexibilité et la capacité à gérer ses propres émotions.

Reconnaître les contreparties

Laure s'ennuie dans son travail. Elle se plaint de cette situation sans pour autant agir. Pourquoi ? Quelles sont les raisons à cette inertie ? Peut-être le sentiment de sécurité que lui procure son travail ou le plaisir de conserver du temps libre.

Reconnaître ces contreparties est fondamental. Cela lui ouvre trois possibilités :

- ne rien changer et continuer à s'ennuyer dans ce travail ;
- accepter la frustration et la dépasser en s'investissant autrement dans le même travail, tout en maintenant la contrepartie positive ;
- quitter son travail en prenant le risque de vivre une nouvelle émotion (l'inquiétude du changement, mais aussi le plaisir de la nouveauté).

Utiliser son intelligence émotionnelle pour reconnaître les contreparties éclaire ses choix.

À vous de jouer !

Choisissez une situation frustrante dans laquelle vous demeurez et demandez-vous : quelles sont les contreparties de cette situation ?

> Si vous décidez d'accepter la frustration : quelle action allez-vous mener ?

> Si vous décidez de quitter cette situation : comment ferez-vous ? Quelles émotions cette perspective génère-t-elle en vous ?

Prendre les bonnes décisions

Le circuit des émotions est rapide et synthétique, celui du raisonnement, plus lent et analytique. Faire l'économie du circuit rationnel peut nous entraîner vers de mauvaises décisions. En effet, notre émotion nous oriente vers le connu, ce qui n'est pas toujours un choix pertinent au présent.

À l'inverse, une tentative de décision uniquement rationnelle revient à établir une hiérarchie des options purement logique. Ce serait insuffisant car la prise de décision dépend largement de notre circuit émotionnel alimenté par nos expériences.

Élodie est responsable logistique d'un site commercialisant des produits culturels. Elle vient de recevoir deux propositions d'évolution de poste au sein de l'entreprise. Malgré les félicitations et l'enthousiasme de son manager, Élodie hésite et s'inquiète. Son cerveau émotionnel est emmêlé dans des messages contradictoires. Il lui manque une représentation claire des deux postes proposés. Après s'être fait exposer précisément chacune des missions, ses émotions s'apaisent. Elle ressent alors qu'un des postes lui conviendra mieux. Ses émotions la guident. Elle peut décider sereinement, en s'appuyant à la fois sur des éléments rationnels et des émotions justes.

Christophe travaille depuis quelques années à la relation clientèle d'une entreprise moyenne. Quand une évolution de poste lui est proposée, il a tout de suite envie d'accepter. Même si son émotion l'incite à s'engager immédiatement, il prend un moment pour réfléchir raisonnablement. Peser le pour et le contre complète son intuition.

C'est en conjuguant nos intelligences rationnelle et émotionnelle que nous prenons les meilleures décisions.

→ RÉCAPITULONS

L'intelligence émotionnelle permet :
- d'assumer sa part de responsabilité émotionnelle ;
- de piloter ses pensées en tenant compte des émotions qu'elles ont générées ;
- d'accepter une situation frustrante ou d'en sortir ;
- de contribuer, avec l'intelligence rationnelle, à la prise de décisions efficaces.

3. Agir avec ses émotions

Une action menée avec intelligence émotionnelle dépasse l'impulsion. Quand exprimer ou retenir les émotions ? Et surtout : comment ?

Exprimer et nommer les émotions

Fleur de Peau vit les émotions intensément. Dans la joie comme dans la peur, la tristesse ou la colère, il doit cesser de s'en vouloir et accepter sa sensibilité, afin de ne plus chercher à dissimuler ses émotions.

Carapace tend plutôt à supprimer le registre des émotions, notamment quand pointent les tensions ou le conflit. Il croit se protéger en restant dans le non-dit. Or, taire ce que l'on ressent isole et peut changer l'émotion initiale en une autre, parfois plus forte :

- La colère non traitée se transforme en agressivité, en hostilité latente ou en ronchonnement permanent.
- La tristesse intériorisée se change en mélancolie ou en déprime.
- La peur devient une angoisse confuse.
- La joie non ressentie banalise le quotidien. Elle métamorphose la personne en petit robot.

Vouloir dissimuler ses émotions n'empêche pas l'organisme de les exprimer d'une façon ou d'une autre.

Mais avant d'exprimer vos émotions, demandez-vous si c'est nécessaire, d'une part, et possible, d'autre part. Il serait illusoire de croire que tout peut être dit et que tout le monde est capable de tout entendre ! Mieux vaut sélectionner vos paroles pour éviter de blesser l'autre. Avancez par tâtonnement afin de dissiper votre peur de perdre le contrôle, de vous livrer, d'ennuyer l'autre ou d'être rejeté. Plus l'émotion est complexe, plus elle mérite d'être explorée avant d'être exprimée. Par exemple, derrière la jalousie éprouvée quand un être cher donne de l'attention à un autre que soi, on débusque souvent la colère, la peur de perdre l'autre et même la tristesse que générerait cette perte. Partager cette tristesse est la marque d'une capacité à dire sa vulnérabilité avec authenticité.

Lorsque vous exprimez vos émotions, faites-le sobrement en employant seulement les mots utiles. Cela demande de l'entraînement et permet :

- d'avancer plus vite vers la sortie du tunnel émotionnel ;
- d'identifier le problème et de lui trouver des solutions ;
- de construire des relations authentiques.

Agir avec la peur

La peur, c'est irrationnel et respectable. Celui qui la ressent a besoin d'être entouré. Négliger son ressenti est aussi risqué que d'ignorer les signaux annonçant la panne d'une voiture.

Vous pouvez avoir peur par modestie ou par lucidité, par exemple lors d'une proposition de changement de poste. Pour prendre une décision, vérifiez que les compétences attendues correspondent objectivement à vos capacités et établissez un contrat oral avec votre manager. Demandez-lui de définir des objectifs réalistes. Cette demande

Questions de peur

> À quel(s) moment(s) la peur dépasse-t-elle votre imagination ? De quoi avez-vous peur précisément ?

> Quels échecs vous ont permis de rebondir ?

> Quels avantages procure le dépassement de la peur ? Rappelez-vous des moments de soulagement et de satisfaction déjà vécus à ce sujet.

> Dans une approche progressive, fixez-vous un défi atteignable. Félicitez-vous après-coup.

exprimée de façon mesurée et sans auto-dévalorisation permet de canaliser la peur, de rester motivé et de se sentir en sécurité.

Quand la peur est liée à l'imagination d'un danger potentiel, informez-vous. Demandez des explications et appuyez-vous sur des faits.

Quel risque prenez-vous à dépasser votre peur ? C'est la réponse à cette question qui déterminera votre action. Si vous pensez que ce dépassement n'en vaut pas la peine, préférez dire non, avec assurance et sans vous culpabiliser. Si la peur se mêle au plaisir, procédez progressivement, en faisant des essais.

Lorsqu'il a su qu'il interviendrait devant toute l'entreprise pendant la convention annuelle, Olivier a pris peur. Parler devant tant de monde sans bafouiller, sans rougir et en tenant un discours cohérent, quel défi ! Olivier a pourtant bien envie de le relever. Il a un mois devant lui pour se préparer. Il rédige son intervention et s'entraîne à la présenter. Progressivement, la peur de s'exposer devant d'autres experts cède au plaisir de partager le fruit de son travail.

Gardez le contact avec ce qui vous fait peur et persévérez à votre rythme. L'impatience et la précipitation créent de l'angoisse inopérante !

Le secret est d'agir avec une peur assumée, sans honte. Nos appréhensions sont normales. Elles viennent en partie du conseil « sois prudent » reçu dans notre enfance.

À nous de nous habituer à affronter nos peurs de manière à nous réaliser ou à quitter un état de mal-être. Cessons d'attendre que la peur nous laisse tranquilles pour aller de l'avant ! La confiance et l'estime de soi viendront chemin faisant.

À chacun de trouver le bon niveau de pression pour continuer à avoir des aspirations élevées.

Dire la colère

La colère débordante manque totalement d'efficacité. L'impression fugitive de puissance que donne cet accès de colère coexiste avec la conscience de sa stérilité. Pire, la colère déchaînée dégrade l'image de celui qui s'y laisse aller et fait fuir les gens, en commençant par ses collaborateurs. Difficile alors d'envisager une relation durable.

Cette forme de colère risque d'exaspérer et de déclencher une réaction agressive. Un cercle vicieux se crée : le colérique pense que les autres n'y comprennent rien et que tout est de leur faute, et sa colère grandit davantage !

Pour avancer, laissez de côté l'image que vous voulez renvoyer aux autres : celle du gentil qui se contrôle (et donc inhibe sa colère) ou, au contraire, celle d'une personne qui a du caractère. Ne cherchez pas à dompter la colère et évitez de la ruminer.

Delphine bouillonne. Avant de quitter le bureau, son manager lui a annoncé l'annulation, faute de budget, de la fête qu'elle prépare depuis deux mois. Sur le trajet du retour, sa colère monte. Pas le temps de l'exprimer : à peine arrivée chez elle, elle doit s'occuper de ses enfants et se préparer à accompagner son mari à un dîner professionnel. Tout d'un coup, elle entend le bruit d'une assiette qui se casse. Elle se précipite et hurle de colère sur son fils en train de mettre le couvert.

Questions de colère

> Vous interdisez-vous d'être en colère ? Assumez sa présence et écoutez ce qu'elle a à vous apprendre.

> Êtes-vous un adepte de la colère à tout va ? Canalisez-la et entraînez-vous à en parler.

> Pouvez-vous envisager de vous excuser après avoir blessé quelqu'un par votre colère ?

> De quelles contrariétés pouvez-vous faire abstraction ?

> Pouvez-vous renoncer aux causes perdues ou aux combats sans fin ?

> Pouvez-vous cesser de penser que les autres le font exprès ?

> Et si vous pensiez à rire ?

Non exprimée, la colère a de fortes chances de se transformer en rancœur ou de se reporter sur une autre personne, dans un autre contexte.

Bien exprimée, la colère peut être entendue et alerter l'interlocuteur sur le besoin de changement ou de réparation. La colère canalisée aide à trouver l'énergie nécessaire pour remédier aux dysfonctionnements.

Comment dire sa colère avec des mots respectueux pour soi-même (n'abîmant pas son image), pour les autres (acceptables à entendre) et sur le bon ton ?

Une énonciation constructive est plus aisée quand le mécontentement est exprimé au fur et à mesure, sans attendre l'accumulation et la saturation.

Pour apaiser la colère et éviter qu'elle ne se transforme en violence, entrainez-vous à :

- analyser ses déclencheurs ;
- accepter que les autres fonctionnent différemment ;
- renoncer à changer le monde et à vouloir tout maîtriser ;
- commencer par évoluer vous-même si vous voulez faire évoluer les autres.

Ainsi, vous pourrez exprimer simplement vos besoins ou poser vos limites.

Souvenez-vous que, bien souvent, derrière la colère, se cache un besoin de respect ou d'amour.

Extérioriser la tristesse

La tristesse révèle souvent un manque affectif et un sentiment de solitude. La mauvaise réaction serait de s'isoler encore plus. Notre culture contribue à ce réflexe quand elle énonce des principes du type « si tu pleures, tu pleures tout seul ; si tu veux avoir des amis, souris ».

Pleurer est insuffisant. Pour éviter de se transformer en plainte hostile ou en dépression, la tristesse a besoin d'être explorée : quels sont les besoins non comblés ? Que faut-il accepter de perdre ? Qu'est-ce qui semble irrémédiable ?

Quand Vincent a échoué au concours de médecine pour la deuxième fois, il a pleuré pendant deux jours dans les bras de son amie. Il lui a confié sa tristesse et sa déception : son rêve d'être chirurgien ne se réaliserait jamais. Il lui fallait faire le deuil d'un métier et du statut social associé. Avec un peu de temps et grâce à son amie, Vincent a pu de nouveau regarder vers l'avenir. Aujourd'hui, il termine son école de management.

Quand vous êtes triste, tournez-vous vers vos proches ou amis. Tout en ayant conscience de votre tristesse, tâchez de voir aussi les petits moments de joie et de plaisir qui se présentent. Envisagez de nouveaux projets.

Parfois, la tristesse peut durer plus longtemps que prévu. C'est le cas lorsqu'elle réveille un autre traumatisme pour lequel nos forces s'étaient usées. Nous sommes déçus, l'énergie nous manque : ne faites pas comme si tout allait bien mais acceptez que le processus soit plus long.

N.B. : La dépression n'est pas une émotion mais un état dépressif d'anéantissement, qui abolit tout désir et toute action. Le goût de vivre se retire. La pensée, le corps, le langage semblent pris en masse par la violence du vide. Quand elle parvient à s'exprimer, la plainte est pauvre et répétitive.

Questions de tristesse

> Vous arrive-t-il de vouloir minimiser votre tristesse en vous disant « il y a pire que moi, je n'ai pas à me plaindre » ?

> Avez-vous un lieu de refuge pour exprimer votre tristesse ou préférez-vous « vous débrouiller tout seul » ?

> Vous arrive-t-il d'ignorer pourquoi vous pleurez ?

> Videz-vous votre sac de larmes au cinéma ?

Être conscient de son état dépressif permet d'assumer ses émotions pour les transformer et retrouver de la vitalité. En parler à quelqu'un change la donne, redonne de l'importance et du soutien. La façon dont les émotions seront accueillies produira ou non un effet de raccordement à la vie.

Cultiver la joie

Sachez être dans le contentement et déguster le sentiment de plénitude qui va avec la satisfaction. Prenez le temps de faire une pause car l'impression d'être comblé n'existe pas pour ceux qui sont dans le « toujours plus » et le « jamais content ».

Réjouissez-vous lorsqu'une personne fait un effort (même si le résultat n'est pas encore au rendez-vous), sans vous laisser entraîner à penser que c'est normal ou qu'elle est payée pour ça.

Et réjouissez-vous aussi quand votre fils obtient son bac, quand vous décrochez un gros contrat, quand votre belle-mère vous fait un compliment ! Osez faire connaître votre joie : elle est un signe de bonne santé pour un groupe et génératrice d'une plus grande coopération. Trouvez le ton juste, ni surjoué ni coupé du réel. La joie exagérée rend naïf et aveugle. Elle risque de laisser derrière elle la déception.

Question de joie

> Quelle place accordez-vous à la bonne humeur ?

> Riez-vous plus d'une minute par jour ?

> Quel plaisir pouvez-vous vous accorder régulièrement pour inclure plus de joie de vivre dans votre quotidien ?

> Êtes-vous capable de ne rien faire et de contempler ce qu'il y a face à vous ?

> Et si vous pensiez à sourire ? Le sourire rend charmant, la joie est contagieuse : faites-en profiter tout le monde !

Bien traitée, la joie permet de vivre de façon plus détendue en faisant preuve d'indulgence vis-à-vis des autres.

La joie se cultive, notamment par le rire, ce réflexe vital à restimuler. Riez spontanément, acceptez de vous laisser porter par la contagion du groupe. Ce rire renforce le système immunitaire contre le stress. C'est un stimulant psychique, un vecteur de lâcher prise. Le rire est une onde qui traverse le corps, des pieds à la tête. Inclure du rire dans ses échanges ouvre aux autres et rend plus proche d'eux.

→ **RÉCAPITULONS**

Les émotions ont besoin d'être nommées et exprimées, au moment opportun et à la bonne personne. Elles sont des invitations à agir :

- en surmontant sa peur pour aller de l'avant ;
- en explorant sa tristesse pour combler ou transformer le manque ;
- en apprivoisant sa colère pour résoudre les dysfonctionnements ;
- en cultivant la joie pour susciter de la coopération.

ET VOUS ?

1. Quelles sont vos blessures passées ? Comment allez-vous les surmonter ?

2. Quelles généralisations hâtives avez-vous tendance à faire ?

3. Pouvez-vous trouver deux raisons de vous réjouir aujourd'hui, ressentir cette joie et la partager ?

4. Même question avec la colère, la peur et la tristesse.

Communiquer avec intelligence émotionnelle

1 Développer son empathie

2 Accueillir les émotions des autres

3 Gérer les situations difficiles

« Le dialogue paraît en lui-même constituer une renonciation à l'agressivité. »

Lacan

1. Développer son empathie

L'empathie est intuitive, mais la développer peut s'apprendre. Elle permet d'être plus à l'écoute de l'autre et de mieux le comprendre.

S'intéresser à l'autre

L'empathie suppose de s'intéresser sincèrement à l'autre. Peu importe ce que nous souhaiterions pour lui, ou les conseils que nous voudrions lui donner : nous l'accueillons tel qu'il est, avec ses propres émotions.

Accueillir l'autre et être empathique sont synonymes : c'est être totalement disponible et ouvert à l'autre. Vous acceptez les émotions qui viennent, sans les lui renvoyer ni vous en sentir la cible. Vous ne cherchez pas à changer l'autre ou ses émotions. Vous restez neutre et bienveillant, sans jamais juger !

Des freins à l'empathie existent parfois, comme :

- avoir du mal à montrer ses sentiments ;
- craindre d'être submergé par les émotions des autres ;
- rechercher la seule efficacité technique ;
- s'apitoyer ou au contraire, toujours positiver ;
- projeter en donnant ce qu'on aurait aimé recevoir.

Faire preuve d'empathie demande du temps et de la disponibilité. Patience ! Inutile de réagir d'emblée aux propos de votre interlocuteur. L'essentiel est de lui manifester de l'intérêt (à lui personnellement et pas seulement au contenu de l'échange). N'hésitez pas à envoyer des signes tangibles de votre disponibilité à l'écouter. Cette écoute permet un réel dialogue, en posant les choses à plat, sans débordement émotionnel.

Antoine fait partie de l'équipe qui doit proposer une nouvelle offre commerciale. Le projet, piloté par Christine, patine et Antoine perd pied. Il va trouver sa chef:

Antoine : On ne sera jamais prêt à temps !

Christine : On va faire une réunion pour voir ça.

Antoine : Mais le problème c'est que je ne peux pas avancer ! On va droit dans le mur.

Christine : Pour quelles raisons ?

Antoine : Il me manque un certain nombre d'éléments, sans lesquels je ne peux rien faire. Je n'ai même pas reçu les comptes rendus des dernières réunions...

Christine : Et tu as l'impression de ne pas avoir été suffisamment impliqué ?

Antoine : Oui, je trouve que le pilotage du projet est en dessous de tout. Personne n'est informé ! Ça ne peut pas continuer comme ça !

Christine (sur un ton neutre) : Est-ce que tu as du mal à accepter de ne pas être le pilote du projet ?

Antoine : Non, pas du tout, je n'en ai pas le temps. Ce que je voudrais, c'est être beaucoup plus associé à la mise en place de cette offre.

Christine : Oui, j'ai vraiment envie de collaborer, cela me convient de resserrer notre mode de fonctionnement. Merci d'être venu m'en parler, comme ça on met en place ce qu'il faut pour assurer le succès ensemble. Voyons comment t'intégrer aux différents comités de pilotage, de quels éléments tu as besoin et les délais de mise en place.

Antoine : D'accord.

Christine fait preuve d'empathie car elle laisse la possibilité à Antoine de dire ce qui lui pèse (manque d'informations et de concertations). Elle n'entreprend ni de le rassurer, ni d'effacer ses propos, ni de se justifier. Elle formule une hypothèse (Antoine voudrait prendre le pilotage en charge), créant des ponts entre les différents énoncés d'Antoine.

Elle cherche réellement à le comprendre. En cela, l'empathie est différente de la sympathie : alors que la sympathie est une affinité bienveillante, l'empathie est une implication pour comprendre l'autre et l'accepter avec son univers émotionnel. Christine tient autant compte de l'humain (Antoine) que de la tâche (le projet et son avancement). Elle n'a pas besoin de nommer les émotions d'Antoine : elle les a captées.

Antoine, de son côté, peut dépasser sa colère (pour le manque d'organisation), sa déception et son inquiétude (face à l'inertie du projet). Il peut donc parler et être entendu, ce qui profite aussi à la production.

Trouver la bonne distance

Trouver la bonne distance dans l'empathie nécessite de rester serein et sécurisant.

Tout le monde ne supporte pas la même quantité d'intimité ! Certaines personnes ne souhaitent pas parler d'elles : n'allons pas trop vite ni trop loin, sous prétexte d'écoute, d'authenticité et de partage. Il ne s'agit pas non plus de jouer au grand sage ni d'effacer ses propres ressentis en voulant être neutre.

Marianne va chercher son fils, Thomas, à la sortie du lycée. Elle vient de décrocher un poste à un temps plein de secrétaire médicale et ne pourra plus être aussi disponible pour son fils :

Marianne : Je me presse depuis ce matin et pourtant, je suis en retard ! Thomas, j'ai quelque chose à t'annoncer. Maintenant que je travaille à temps complet, je ne vais plus pouvoir venir te chercher à la sortie du lycée.

Thomas (sur un ton décontenancé) : Ah non ce n'est pas possible avec mon emploi du temps ! Je suis en seconde !

Marianne : Je comprends que tu sois fâché. Nous aimions bien passer un moment en voiture tous les deux, et c'était très confortable pour toi. Mais maintenant, je dois aller chercher ta petite sœur à la crèche. Nous allons souscrire un abonnement mensuel et, dès lundi, tu pourras prendre les transports en commun avec tes amis.

Thomas : Ce n'est pas juste !

Marianne : J'entends ta colère. Elle est légitime. Un autre à ta place serait sans doute aussi furieux. Je sais qu'il va falloir que tu te lèves plus tôt le matin.

Thomas : Ah oui, en plus !

Marianne : Et ce sera plus fatiguant que de s'asseoir, au chaud, à côté de moi, dans la voiture.

Marianne s'arrête sur ces propos, évitant de faire des commentaires du type « maintenant que tu es grand » ou « si tu crois que dans la vie il y aura toujours quelqu'un pour te prendre en charge ». Tout en les écoutant, elle tait ses propres émotions : sa tristesse (d'enlever un privilège à Thomas), sa peur (de sa réaction) et sa colère (lorsqu'il ne se met pas à sa place à elle). Sa neutralité est une absence de parti pris. Elle ne mélange pas son histoire de vie, ses priorités et ses valeurs avec celles de Thomas. Marianne prend la bonne distance et se contente d'accompagner son fils le temps qu'il traverse ses propres émotions.

Cette empathie permet de vivre ensemble en composant au mieux avec ses émotions et celles des autres. Marianne n'est ni trop touchée ni trop navrée. Elle a donc une pensée claire de l'action à mener (prendre un abonnement aux transports). Au final, la relation entre Marianne et son fils gagne en harmonie et en coopération.

→ RÉCAPITULONS

L'empathie est une attitude :
- de disponibilité, de présence ;
- de bienveillance ;
- d'écoute, tout en prenant la bonne distance ;
- d'accompagnement de l'autre pour qu'il accueille ses propres émotions.

Cette attitude, lorsqu'elle reflète un désir sincère de compréhension, incite l'autre à s'exprimer. Elle contribue à créer un climat plus serein lors de situations tendues.

2. Accueillir les émotions des autres

→ EN BREF

Plus nous explorons notre émotion, mieux nous la voyons et l'accueillons chez les autres. N'ayons pas peur d'être contaminé !

Attention aux parasites !

Parfois, l'émotion exprimée par l'autre n'est pas appropriée : il s'agit d'une émotion parasite. A-t-on affaire à un regret authentique ou à une émotion parasite de culpabilité ? Est-ce une très grande gentillesse ou de la jalousie ? Les pleurnicheries cachent-elles de la colère ?

Comment les distinguer ? Si l'expression émotionnelle de l'autre suscite en vous irritation et exaspération, vous avez sans doute affaire à une émotion parasite. Mais souvenez-vous que derrière toute émotion parasite, une autre émotion est à débusquer. L'intervention d'une personne extérieure est donc judicieuse.

Pour éviter l'intrusion, demandez d'abord à la personne si elle souhaite parler avec vous. Si vous pensez que la personne exprime une émotion parasite, nommez ce que vous ressentiriez à sa place dans une telle circonstance. Lorsqu'elle retrouve son sentiment premier, dites-lui votre joie. Cela l'aidera à mieux ressentir ses émotions, tout en améliorant ses relations.

Guider celui qui a peur

Demander à celui qui a peur d'être fort, c'est nier ce qu'il ressent. Dire « ne t'inquiète pas » ou « ce n'est pas grave » ne rassure que soi-même... La peur est contagieuse : offrez votre tranquillité plutôt que votre peur de ne pas réussir à aider l'autre ! Sentant votre peur, il pourrait ravaler ou décupler la sienne.

Celui qui a peur se sent paralysé. Aidez-le à mettre des mots sur son émotion pour sortir du flou créé par ses peurs. Puis accompagnez-le pour qu'il trouve lui-même comment faire pour que sa peur s'estompe.

Proposez-lui un appui et des repères afin qu'il retrouve un sentiment de sécurité. Se sentant ainsi épaulé, il voit mieux comment s'en sortir.

Tout au long de cet échange, restez en contact avec son regard pour lui éviter la tentation de se refermer sur lui-même.

Rester serein face à la colère de l'autre

Laisser hurler quelqu'un jusqu'à ce qu'il ait fini de vider son sac ou penser tout bas que la colère ne mène nulle part est une grande erreur. Faute d'interlocuteur, la colère bouillonne et s'amplifie.

Face à quelqu'un en colère, commencez par arrêter de croire que vous avez quelque chose à vous reprocher. Inutile aussi de clamer plus fort que l'autre votre bon droit, ou que vous avez raison. Vouloir que l'autre se calme rapidement est un autre leurre. Sa colère ne disparaîtrait que le temps de la rencontre.

Comment faire face à la colère de l'autre avec empathie ?

- Commencez par vous assurer que vous n'êtes pas en train de lutter contre votre propre colère.
- Restez solide, stable, avec un regard paisible, tourné vers la personne en colère. Elle a besoin de sentir une force tranquille.
- Reformulez sa colère avec un ton plus serein mais ferme. Aidez la personne à mettre des mots sur son émotion et ses besoins.
- Cherchez à comprendre son mal-être sans tenter de le raisonner. Ne lui reprochez pas sa façon de parler.

L'empathie permet à l'autre de ressentir l'émotion qui lui semble légitime, sans craindre d'être jugé. Ainsi, il ose s'affirmer et sent qu'il est accepté pour ce qu'il est. Cette étape est réparatrice. S'il y a eu séparation, elle ouvre la voie aux retrouvailles.

Une fois seulement la colère bien posée, énoncez votre point de vue si c'est nécessaire.

Ces conseils permettent aussi, le cas échéant, de résoudre un différend sans entrer en conflit.

Être présent quand quelqu'un est triste

La priorité est d'éviter que la personne triste ne pleure toute seule. Cela suppose de ne plus croire que plus on en parle, plus ça fait du mal.

Pour surmonter sa perte et se tourner vers l'avenir, la personne triste a besoin de se sentir entourée. Ce réconfort lui redonnera l'envie de se réinvestir.

Laissez-lui le temps de traverser son émotion, sans la minimiser par des phrases comme « ce n'est pas grave », « tu n'as qu'à prendre de la distance ». Une simple présence peut suffire. Si vous parlez, choisissez des mots qui consolent et apaisent. Si l'objet de sa tristesse n'est pas clairement défini, proposez-lui de l'accompagner : « Que s'est-il passé pour que tu ressentes cela, veux-tu chercher avec moi ? »

Sans précipitation, dites-lui la confiance que vous lui faites pour retrouver l'envie.

Partager la joie de l'autre

Loin de l'idée que la joie se suffit à elle-même et qu'il n'y a pas besoin d'en rajouter, osez la partager ! Elle est un facteur de cohésion.

Quittez la pudeur ou la jalousie, ne passez pas trop vite à autre chose. Accueillez avec enthousiasme les manifestations de joie !

Si celui qui devrait se réjouir a du mal à exprimer sa joie, aidez-le à prendre le temps d'apprécier. Dites-la pour lui : « À ta place je serais fier de... ».

L'empathie permet d'accueillir les émotions de l'autre :

- sans les nier ;
- sans être embrouillé par les émotions parasites.

Les expressions de peur, de colère, de tristesse et de joie sont parties prenantes de nos relations avec les autres. Bien les accueillir enrichit l'interactivité.

3. Gérer les situations difficiles

→ **EN BREF**

La difficulté des situations tient aux émotions multiples qu'elles suscitent. Garder une attitude empathique permettra de maintenir l'échange.

Comment éviter le conflit ?

Les relations quotidiennes sont parfois biaisées par les jeux psychologiques dans lesquels chacun endosse le rôle de persécuteur, de victime ou de sauveteur.

Le persécuteur veut tout maîtriser. Il exerce une autorité abusive et s'applique à dévaloriser l'autre ou à minimiser la situation. Il se montre moraliste, redresseur de torts, coercitif et péremptoire. Il cherche à assouvir son besoin d'être en position de force.

Face à lui, se trouve la victime, en position d'infériorité : elle se dévalorise en se comparant aux autres. Convaincue qu'elle n'y arrivera pas, elle demande de l'aide avant même d'avoir cherché par elle-même des solutions. Perdue dans des émotions excessives, la victime peut aller jusqu'à faire du chantage affectif. Elle n'ose jamais formuler de demande directe.

Pour contrecarrer le persécuteur et secourir la victime, le sauveteur apporte son aide spontanément, voire surprotège la victime en maintenant une relation fusionnelle. Il a besoin de rendre service et de se sentir indispensable. Il se sacrifie, se fait du souci pour les autres dont il sous-estime les capacités. En pensant « heureusement que je suis là », le sauveteur crée une dépendance et rend les autres redevables.

Ce jeu psychologique se met inconsciemment en place dans les situations difficiles ou de stress. Encourager les émotions à s'exprimer et utiliser son intelligence émotionnelle permet de stopper l'engrenage du jeu et de clarifier la communication.

Faire durer le jeu est tentant. Il donne la sensation d'avoir une vie intense et permet d'obtenir des signes de reconnaissance, même s'ils sont négatifs, que l'on n'a pas trouvés en dehors du jeu. Or le jeu fausse les relations et crée une dépendance.

Sortir des jeux psychologiques en trois temps

1. Arrêt du jeu
- Repérer le jeu auquel l'autre invite.
- Identifier son rôle favori et s'abstenir de le jouer.

2. Bas les masques !
- Être à l'écoute.
- Poser ses limites, refuser d'entrer dans le jeu en expliquant pourquoi (sans vexer ni accuser).
- Clarifier la situation : décrypter la dynamique du jeu.

3. Retour à la réalité

- Aider l'autre à exprimer ses besoins, les non-dits et y répondre.
- Mettre en place une relation saine, qui satisfait tout le monde.

Comment réagir à un mécontentement ?

Quand la situation est tendue, la priorité est de garder son calme, à l'exemple de Franck, le responsable du laboratoire. Il vient faire une mise au point avec Éric, qui travaille avec lui sur le développement d'un nouveau produit.

Franck : Je voulais te parler de quelque chose qui m'importe.

Éric : Quoi ? Qu'est-ce qu'il y a encore ?

Franck : J'ai besoin de te parler franchement. Tu es un homme de conviction, tu as des opinions que tu sais défendre. Nous avons des discussions nourries et intéressantes. Je souhaite que l'on puisse continuer à s'exprimer et que tes idées soient entendues. Mais je te propose qu'à l'avenir nous évitions d'avoir de longs échanges où tu t'efforces d'avoir le dernier mot. Ça nous permettrait de discuter plus sereinement.

Éric (offusqué) : Ça y est, c'est encore moi !

Franck : Non, pas du tout. Je respecte tes opinions engagées, même si je ne suis pas toujours d'accord. Et en même temps, je ne veux pas me retrouver mal à l'aise, notamment quand tu tiens à me convaincre de quelque chose alors que j'ai une opinion différente.

Franck nomme son besoin (il veut être à l'aise, dans des échanges plus sereins), avec une voix déterminée et courtoise. Son ton et son intention marquent la différence. Franck y parvient car il a dépassé ses propres affects et croit qu'Éric peut changer.

1. Opportunité

- Parler du problème en privé, sans témoin.
- Choisir le bon moment.

2. Neutralité

- Réguler et contrôler ses propres affects.
- Exprimer sobrement ses émotions.
- Arrêter les généralisations et les interprétations hâtives.
- S'en tenir aux faits précis, à des exemples concrets.
- Parler de l'acte, pas de la personne ; ne pas comparer avec d'autres.

3. Détermination

- Dire « je », plutôt que « tu » ou « on ».
- Parler lentement, en regardant la personne dans les yeux.
- Être ferme tout en restant courtois.

4. Interactivité

- Analyser les causes du mécontentement puis rechercher les solutions.
- Faire participer son interlocuteur : poser des questions ouvertes et non orientées.
- Susciter la responsabilisation.

5. Pragmatisme

- Se centrer rapidement sur l'amélioration souhaitée et ses conséquences positives.
- Déterminer ensemble un objectif précis, concret et mesurable.
- Chercher les moyens à mettre en œuvre pour l'atteindre.

6. Confiance

- Être patient : laisser le temps à l'interlocuteur de dépasser ses affects (son étonnement, sa déception, sa colère, ses peurs).

- Montrer sa confiance en la capacité de l'autre à interagir.
- Citer ce qui va bien par ailleurs.
- Remercier pour avoir accepté la confrontation et pour l'avoir gérée dans un esprit constructif.

Comment accepter un reproche ?

Le reproche vexe, donne l'envie de fuir ou d'être agressif, ou les deux ! Utiliser son intelligence émotionnelle permet d'y faire face en restant dans l'échange.

Cécile, l'assistante du directeur général, affronte le reproche que lui formule Géraldine, sa collègue de bureau : « Tu n'es que le petit chien de notre hiérarchique, tu lui lèches les pieds... À ta place je me défendrais ! »

Laissant de côté son ego, Cécile lui répond : « Je suis en partie d'accord avec toi. Je ne sais pas suffisamment me valoriser ni me faire entendre. Je n'aime pas l'affrontement, je préfère rester dans le cadre. Mais sache que ça me coûte de ne rien dire. Si j'ai bien compris, tu veux me mettre en garde ? Je souhaite que tu me fasses tes remarques et conseils avec plus de courtoisie. J'ai besoin de notre amitié. »

À sa grande surprise, Cécile se voit répondre par Géraldine : « J'aime bien quand tu me parles ainsi. Tu as l'air sûre de toi et je vois que tu assumes ton choix. Je vais tâcher de t'alerter – ou plutôt de te donner mon point de vue – avec plus de délicatesse ! »

Cet échange a renforcé la complicité entre les deux assistantes.

Le grand conseil pour affronter le reproche est de rester centré sur une démarche interactive.

Estelle est commerciale dans une société de service. Sa cliente doit présenter un projet en comité de direction pour lequel Estelle vient de lui fournir une proposition. La cliente n'est pas contente, elle réagit vertement.

La cliente : La proposition commerciale que vous m'avez soumise ne va pas. Les autres font mieux que vous ! Où est l'accompagnement que vous m'avez vendu ? Il me faut quelqu'un de disponible ! Je dois rendre des comptes à ma direction et là je suis dans le flou... Je m'inquiète vraiment.

Estelle : Vous faites bien de me parler de vos déceptions et inquiétudes. Je capte bien les engagements que vous avez pris en interne. Soyez sûre que je suis votre alliée pour que la présentation de votre projet soit plus confortable.

La cliente : Merci. Je vois que vous me comprenez.

Estelle : Je vais vous donner des plages horaires durant lesquelles je serai joignable, de façon à être aussi réactive que vous. On va tout mettre en œuvre pour arriver à une présentation qui répondra à vos attentes et valorisera votre soutenance en interne.

La cliente : Ça me paraît bien. Je vais me permettre une question : pourriez-vous être à côté de moi, lors de ma soutenance, pour assurer l'aspect technique de l'offre ?

Estelle : J'en serais ravie, merci de votre confiance !

Six attitudes face au reproche

1. Accueil

- Accepter la critique, chercher à s'améliorer plutôt qu'à se justifier.
- Accepter la contradiction et les désaccords.
- Garder confiance en soi.

2. Responsabilité
- Prendre la responsabilité de ses actes et de ses paroles, et de leurs conséquences.
- Reconnaître ses torts.
- Repérer ses points sensibles et ses élastiques.
- Ne pas exagérer le reproche formulé.

3. Coopération
- Écouter attentivement jusqu'au bout.
- Reconnaître l'importance du problème pour l'autre.
- Reformuler de manière positive le reproche et identifier le besoin qu'il cache. Par exemple, « tu souhaites que je sois plus attentif » au lieu de « tu ne m'écoutes jamais ».
- Élaborer ensemble des propositions de remplacement, des actions correctives ou des axes de progrès.

4. Tri
- Évaluer la part des émotions de l'interlocuteur sans rapport direct avec la situation.
- Expliciter en questionnant « que veux-tu dire par là précisément ? ».
- Distinguer les points d'accord et de désaccord.

5. Sobriété
- Exprimer sobrement les émotions qui nous traversent.
- Formuler son point de vue avec assurance et bienveillance en restant concentré sur l'essentiel.
- Demander simplement d'interrompre l'échange si la pression est trop forte (sans faire profil bas ni de façon hautaine).

6. Gratitude
- Remercier la personne d'avoir parlé du problème.
- Signifier, si nécessaire, le souhait de plus de courtoisie dans l'expression du mécontentement ou de l'insatisfaction.

Comment dire les choses pénibles ?

Parler d'un problème et demander à ce que ça change n'est pas facile. Le tableau ci-dessous vous donne une trame pour bien structurer une prise de parole courtoise et efficace.

Étapes du discours	Objectif
Quand vous...	Décrivez la situation de façon factuelle, afin de ne pas susciter de commentaires.
Je...	Exprimez avec sincérité et sobriété les émotions utiles à la situation.
Parce que...	Énoncez brièvement les raisons de votre ressenti.
Et ce que je vous demande de... ce dont j'ai besoin... l'incontournable...	Posez votre demande de façon explicite et concrète.
De façon à ce que...	Nommez les avantages pour terminer sur une note positive.

Vincent s'est servi de cet outil pour s'adresser à son hiérarchique : « Sans explication, vous me faites part de votre mécontentement à propos de mon travail. Je me sens mal à l'aise et inquiet. En somme, je sature de ce silence, j'ai besoin de comprendre, d'en discuter avec vous et que vous me disiez avec franchise ce qui vous gêne. Je suis ouvert à tout réajustement. Ces clarifications me sont nécessaires pour mieux m'investir. Je me sentirai plus serein et je pourrai ainsi mieux répondre à vos attentes. Qu'en pensez-vous ? »

Mathilde envoie un mail à son frère parti vivre à l'étranger : « Lorsque je n'ai aucunes nouvelles de toi, je suis assez triste parce que tu me manques beaucoup. De ton côté, j'imagine que ton silence veut dire que tout va bien et que tu veux nous montrer ton autonomie. Je te demande juste de m'envoyer un petit signe de temps en temps pour me rassurer... »

Vincent et Mathilde se montrent déterminés tout en restant courtois. Ils font une mise au point pour régler la relation. Ils évitent de blesser l'autre en faisant des commentaires ou en parlant du passé. Ils construisent l'avenir en attendant un changement auquel ils croient.

S'exprimer de façon mesurée et claire donne envie à l'autre de s'engager dans un face à face.

→ RÉCAPITULONS

Quelle que soit la difficulté de la situation, la priorité est de faire preuve d'empathie pour maintenir la communication, en s'appuyant sur :

- la volonté de garder des relations authentiques ;
- le désir de coopérer ;
- l'adéquation entre la demande et sa formulation ;
- la confiance en la capacité de progrès de l'autre.

1. Dans votre entourage, qui a de l'empathie ? Sur quels éléments vous appuyez-vous pour le dire ?

2. Quelles sont les émotions des autres que vous pouvez accueillir ? Pourquoi ?

3. Repensez à une situation conflictuelle et déterminez quel rôle vous teniez : persécuteur, sauveteur ou victime ? Qu'allez-vous entreprendre pour éviter que ce jeu ne se renouvelle ?

4. Entraînez-vous à préparer une rencontre en écrivant une demande courtoise et efficace selon la structure proposée ci-dessus.

Réussir ensemble avec intelligence émotionnelle

1 Prendre sa place

2 Donner envie de coopérer

« *Nous devons apprendre à vivre ensemble comme des frères, sinon nous allons mourir tous ensemble comme des idiots.* »

Martin Luther King

1. Prendre sa place

Nous travaillons avec d'autant plus de motivation que nous savons sur quoi concentrer notre énergie et dans quel but. Quand chacun tient ainsi sa place, la collaboration gagne en efficacité.

Agir à partir de sa sphère d'influence

Nadine est responsable de la communication. Rencontrant des difficultés dans son travail, elle a fait appel à un coach pour y remédier. Au cours d'une des séances de coaching, elle explique ce qui se passe. En fait, elle subit la mauvaise organisation de son entreprise : un processus de décision trop long, une définition floue de son poste et des collègues qui profitent de la situation. Elle est en colère contre le système et inquiète de ne pas satisfaire les demandes de la direction. Son récit est révélateur de son attitude : Nadine se concentre sur sa zone de préoccupation, c'est-à-dire l'ensemble des contraintes qu'elle n'a pas le pouvoir de changer. Or c'est une dépense d'énergie inutile et dangereuse, car plus Nadine accorde d'importance aux contraintes subies, plus elle se rend vulnérable. Elle est en permanence sous pression.

En restant dans sa zone de préoccupation, Nadine risque de se victimiser et d'être envahie par ses émotions et celles des autres. Au contraire, dans sa zone d'influence – l'ensemble des éléments sur lesquels elle a prise –, Nadine peut exercer son pouvoir d'action et réguler ses émotions. Pour cela, elle finit par prendre rendez-vous avec son chef et établit avec lui la liste des actions qui entrent dans le périmètre de son poste et sur lesquelles elle se concentrera désormais. Elle en profite pour signaler aussi à ses collègues son besoin de ne pas être interrompue au milieu d'une tâche.

Restez conscients des contraintes et, pour y faire face, agissez depuis votre zone d'influence. Vous n'en serez que plus constructifs.

Travailler en donnant du sens

« Les hommes restent forts aussi longtemps qu'ils vivent pour une idée forte », écrit Freud. Un travail motivant (par le sens qu'il a, par les satisfactions qu'il procure) stimule l'énergie et l'envie de relever les défis.

Développer son intelligence émotionnelle permet de mieux prendre conscience de ses motivations personnelles. Cela permet également de comprendre et de renforcer la motivation des autres en percevant leurs besoins et les réponses qu'ils y trouvent dans le cadre de l'entreprise.

Thibault a 23 ans, il appartient à la génération dite Y. *Community manager* dans une petite agence publicitaire, il a besoin de renouveler ses compétences et les responsabilités qu'on lui confie : sa motivation se nourrit de la variété de ses expériences. Il ne tolère pas l'ennui ni la frustration. En revanche, il aime se mettre en danger et redouble d'énergie quand il doit s'adapter, relever des défis. Thibault s'investit beaucoup dans son travail, car c'est pour lui une source d'épanouissement, même s'il ne tient pas à sacrifier sa vie personnelle. Souvent, Patrick, son manager hiérarchique, a du mal à le comprendre et projette sur lui son propre besoin de cadre et de sécurité. Or Thibault a besoin d'autonomie et non d'être contrôlé en permanence. Pour mieux s'entendre avec lui, Patrick doit donc laisser de côté sa culture managériale directive et cesser de croire que Thibault est arrogant et prétentieux. C'est en sollicitant son intelligence émotionnelle, que Michel réussira à adapter son management à la créativité de Thibault.

Plus nous trouvons de sens à nos actes, plus notre engagement y est fort. Notre motivation à nous lever en pleine nuit est différente selon qu'il s'agit de consoler notre enfant ou de répondre à une erreur téléphonique ! Au final, l'action est la même mais son but génère des émotions très diverses... Il en est de même pour les actions à mener dans le cadre professionnel.

Un leader émotionnellement intelligent sait expliquer le sens de l'action. Il sait partager une vision globale du travail à faire et orienter les efforts de ses collaborateurs vers un objectif motivant.

Le laboratoire dans lequel travaille Karine prépare sa certification à la norme ISO 9001. La démarche suppose l'application de procédures strictes et l'établissement de tableaux de bord. Alors qu'elle passe déjà du temps à récolter les données pour établir des documents exacts, son manager se focalise sur ce qu'elle considère comme des détails. Ne voyant pas l'utilité ni les retombées de son travail, elle a du mal à rester motivée pour cette tâche qu'elle trouve dénuée de sens.

Comment remobiliser Karine ? En la faisant regarder – au-delà de sa tâche particulière avec ses contraintes formelles – vers l'objectif commun (obtenir la certification) et les retombées positives que cela entraînera. L'excellence et la réussite collective sont des valeurs qui trouvent écho en Karine et l'enthousiasment. Ainsi, avoir conscience de l'enjeu et anticiper la joie que lui procurera la réussite de l'entreprise, redonne à Karine l'ardeur qui lui manquait.

Faciliter la collaboration

Une mauvaise organisation peut créer un beau désordre émotionnel.

Florence en fait l'expérience lorsqu'elle prend son poste de responsable d'une équipe administrative de quatre personnes. À la première réunion d'équipe, elle constate un climat pesant. L'une est en colère, réclamant « qu'enfin on puisse se concentrer sur son travail et avancer ! », une autre est découragée et se plaint, une autre se montre sarcastique envers l'ancien chef et même l'ensemble de la société, tandis que la dernière reste muette et renfrognée.

Pour éclaircir la situation, Florence rencontre individuellement chacune de ses collaboratrices. Elle les écoute attentivement et comprend que cette ébullition émotionnelle est liée au manque total d'organisation dans le service.

En vue d'apaiser les émotions et de favoriser le travail collectif, Florence revient sur les faits, puis exprime ses attentes exactes en matière d'objectifs. Elle définit précisément le périmètre de chacune et rappelle quelques règles à respecter dans le partage de l'information et la prise des décisions.

Bien sûr, l'épreuve et le défi peuvent être des sources de motivation ! En revanche, ne pas connaître précisément son périmètre de travail ou être perturbé (par des tracasseries administratives, une multiplication de tâches connexes, des aléas de transports, une perte de données) use et démobilise. Bien s'organiser et faciliter la communication contribuent à générer un climat de travail agréable pour que chacun remobilise son énergie vers les objectifs fixés.

« Après vingt-cinq ans de carrière, j'ai enfin compris qu'une conscience professionnelle sans empathie peut couper du reste de l'équipe et provoquer l'inertie », témoigne Michel. Manager transverse missionné pour mettre en place un processus d'amélioration de la performance des ventes de l'entreprise, il avait passé des semaines à vérifier chaque action accomplie par ses collaborateurs. Tellement absorbé par sa tâche, Michel paraissait stressé, distant et ne remarquait pas la dégradation du climat et le désinvestissement de ses équipiers. Enfin alerté à l'occasion d'une menace de démission de l'un des collaborateurs, il a choisi de tester un management différent en lâchant la bride. Après avoir échangé avec les membres de son équipe et entendu avec empathie ce qu'ils ressentaient, il a davantage fait confiance et a cessé de tout contrôler. Les réunions d'équipe sont maintenant consacrées à échanger sur les projets ou à résoudre les difficultés. Michel a compris que, pour motiver, il faut responsabiliser chaque collaborateur. Ainsi, tous se sentent valorisés, gagnent en estime de soi et travaillent davantage en partenariat. Aujourd'hui, Michel se sent mieux inclus dans le groupe et tous sont plus impliqués.

→ RÉCAPITULONS

Plus nous développons notre intelligence émotionnelle, mieux nous collaborons car nous pouvons davantage :

- discerner ce qui relève de notre zone d'influence ;
- ajuster et fluidifier l'organisation ;
- entretenir notre motivation grâce au sens donné à l'action ;
- prendre notre place ;
- nous sentir responsable.

2. Donner envie de coopérer

→ **EN BREF**

L'envie de travailler avec les autres s'entretient. Le comprendre permet à un manager de devenir un leader de résonance : un leader qui crée les conditions d'amplification des talents de chacun.

Donner des signes de reconnaissance

Les signes de reconnaissance sont les calories psycho-affectives dont nous avons tous besoin. Entendre des compliments et être valorisé nourrit la confiance et l'estime de soi et encourage la mobilisation. Les contraintes quotidiennes sont adoucies par un climat de travail agréable qui accroît la motivation de chacun.

Savoir remercier, mettre l'autre en valeur, ou s'investir dans la relation est aussi important dans la vie personnelle que professionnelle : ces signes garantissent la santé et la richesse de toutes nos relations.

Comment émettre des signes de reconnaissance ?

> Dire bonjour en s'intéressant à l'autre.

> Valoriser une proposition ou une action.

> Témoigner à un collaborateur qu'on compte sur lui.

> Reconnaître régulièrement les qualités et les compétences : faire « les compliments-minute ».

Réclamer ces signes de reconnaissance peut paraître déplacé, selon certains codes de la société. Pourtant ils sont indispensables pour rester mobilisé. Ils assurent l'équilibre avec la critique. Savoir écouter les reproches mais aussi les compliments, de même se les faire soi-même de temps en temps, est bien utile.

Pourquoi est-ce si difficile?

L'éducation et, plus tard, la culture d'entreprise – françaises – sont des freins à l'expression des signes de reconnaissance. Aussi peu habitués à les donner qu'à les recevoir, nous appréhendons la réaction des autres : nos compliments ne seront-ils pas tournés en dérision ? Les critiques ne seront-elles pas rejetées ? Nous craignons de ne pas trouver les bons mots ou d'être trop ému. Certains imaginent que féliciter leurs collaborateurs les encouragerait à se reposer sur leurs lauriers ou à demander une augmentation.

Reconnaître les efforts fournis, même si les résultats ne sont pas encore au rendez-vous, permet de garder son équipe mobilisée sur l'objectif. Les félicitations donnent des indications concrètes et utiles sur les comportements attendus.

Comment s'y prendre?

Soyez confiant et faites le premier pas. Lancez-vous, même avec les collaborateurs pour lesquels vous avez peu de sympathie. Pensez à dire « je », votre message sera plus engagé et personnel. Sans confondre avec les signes que vous attendez pour vous-même, donnez les signes dont l'autre a besoin !

Ne limitez pas vos appréciations au savoir-faire, mais intéressez-vous aussi au savoir être. Par exemple : « J'apprécie que tu oses me dire non quand tu sais par avance que tu ne pourras pas tenir les délais. Comme tu es une personne

---

Les cinq critères d'un signe de reconnaissance de qualité

> Sincère (sinon il aurait des apparences de récupération).

> Argumenté sur du concret.

> Personnalisé avec des mots ciblés.

> Dosé en fonction des besoins de la personne.

> Opportun : au moment et dans le lieu qui conviennent.

investie, je sais que ce n'est pas de la mauvaise volonté mais un souci de la qualité de ton travail. »

Faire preuve de reconnaissance stimule l'esprit d'équipe, la motivation et la créativité.

L'art de la critique

Quand on s'investit dans un projet ou une tâche, l'absence de *feedback* est source d'inquiétude. On ne peut en faire l'impasse.

La critique a mauvaise presse. Souvent assimilée au reproche et à la dévalorisation, elle est pourtant un levier de progrès. Encore faut-il qu'elle soit constructive.

L'art de la critique s'apprend. Préparez-vous calmement en mettant en œuvre les six conseils pour réagir sereinement (clé 4).

L'art de la critique constructive

> Opportunité
> Neutralité
> Détermination
> Interactivité
> Pragmatisme
> Confiance

Maîtriser l'art de la critique simplifie les relations et favorise la motivation.

Être un leader

Un leader apprécié sait gérer ses émotions et avoir une influence sur celles des autres. Empathique et impliqué, il est prêt à dissiper le brouillard des émotions inhérent à toute vie collective. En incitant au dialogue, il facilite la performance individuelle et collective.

Un leader qui sait utiliser son intelligence émotionnelle, entretient l'enthousiasme de ses équipes. Il manifeste de la considération pour chacun, est attentif aux capacités individuelles, et révèle les talents.

Comme il a compris que l'enthousiasme est contagieux, il partage sa bonne humeur.

Une intelligence émotionnelle développée permet à un leader de rester en phase avec ses valeurs. Sa sincérité, son intégrité et la conviction que rien de grand ne peut s'accomplir seul font qu'il sait créer une dynamique de groupe et transmettre une vision motivante.

Conscience de soi, connaissance de soi, gestion de ses émotions et capacité d'empathie font d'un leader un véritable guide.

→ RÉCAPITULONS

Développer son intelligence émotionnelle permet de créer un climat serein qui :

- renforce l'estime de soi ;
- rend les relations plus authentiques ;
- favorise l'engagement et l'action collective.

1. Si vous rencontrez des difficultés, comment éviter de rester piégé dans votre zone de préoccupation et agir depuis votre zone d'influence ?

2. Quelles sont vos motivations principales pour agir ? Qu'est-ce qui a du sens pour vous ?

3. À qui souhaitez-vous témoigner davantage de signes de reconnaissance ? lesquels ? avec quels mots ? De qui voudriez-vous en recevoir davantage ? Comment comptez-vous les solliciter ?

4. Si vous êtes manager, comment allez-vous agir pour garder la confiance et l'enthousiasme de vos collaborateurs ?

Bibliographie

ANDRÉ Christophe et LELORD François, *La Force des émotions*, Odile Jacob, 2001

FILLIOZAT Isabelle, *L'Intelligence du cœur*, Marabout, 2013 (Jean-Claude Lattès, 1997, pour la 1re édition)

FILLIOZAT Isabelle, *Au cœur des émotions de l'enfant*, Marabout, 2013 (Jean-Claude Lattès, 1999, pour la 1re édition)

GOLEMAN Daniel, BOYATZIS Richard, McKEE Annie, *L'Intelligence émotionnelle au travail*, Pearson, 2010

HÜTLER Gerald Pr, *Biologie de la peur, Quand le stress devient moteur de changement*, Le Souffle d'Or, 2011

MOSS Richard, *Plénitude, empathie et résilience*, Le Souffle d'Or, 2012

STEINER Claude, *L'ABC des émotions*, 2e éd., InterEditions, 2011 (2005, pour la 1re édition)

VIDAL GRAF Serge et Carole, *La Colère, cette émotion mal aimée*, Jouvence Éditions, 2012 (2002, pour la 1re édition)

conception
réalisation
mise en page

pca

44405 Rezé cedex

59428 - (I) - (3) - OSB 90° - 505 - 7465 - PCA - VCT

Imprimerie Nouvelle - JOUVE
45800 Saint-Jean de Braye
N° d'Imprimeur : 2068240W
Dépôt légal : mars 2013

Imprimé en France